LA CASA
DE LA TROYA

ALEJANDRO PÉREZ LUGÍN

Colección

LEER EN ESPAÑOL

La adaptación de la obra *La casa de la Troya*,
de **Alejandro Pérez Lugín**, para el Nivel 3 de la colección
LEER EN ESPAÑOL, es una obra colectiva, concebida,
creada y diseñada por el Departamento de Idiomas
de la Editorial Santillana, S.A.

Adaptación: **Esmeralda Varón Saavedra**

Ilustración de la portada: Rúa do Vilar. Santiago de Compostela.
Fotografía: **Margen.**

Ilustraciones interiores: **Adán Ferrer.** Fotografía: **Patronato
Museo Casa de la Troya**; Archivo Santillana.

Coordinación editorial: **Elena Moreno**

Dirección editorial: **Silvia Courtier**

© de esta edición.
   1997 by Grupo Santillana de Ediciones, S A
   Torrelaguna, 60. 28043 Madrid
Coedición con la Universidad de Salamanca, edición 1997

PRINTED IN SPAIN
Impreso en España por UNIGRAF
Avda. Cámara de la Industria, 38
Móstoles, Madrid
ISBN: 84-294-4047-X
Depósito legal: M-23 098-2000

Después de terminar el Bachillerato en Madrid, ciudad en la que nació, Alejandro Pérez Lugín (1870-1926) se trasladó a Santiago de Compostela (La Coruña) para estudiar Derecho. Allí colaboró en el periódico El Pensamiento Gallego. *De nuevo en Madrid, continuó su labor periodística y se hizo muy famoso por sus críticas taurinas, firmadas con el seudónimo de Don Pío.*

Pérez Lugín se dedicó también a la literatura, situando sus obras en dos escenarios muy diferentes: Andalucía y Galicia.

Dos son sus novelas andaluzas: Currito de la Cruz *(1921)* y La Virgen del Rocío ya entró en Triana *(1926).*

Las experiencias de su época de estudiante en Santiago de Compostela le sirvieron a Pérez Lugín como base para escribir La casa de la Troya *(1915), novela sentimental muy cercana a las narraciones del género rosa.*

Esta obra alcanzó, en su época, una enorme popularidad no sólo en España, donde se editó unas ochenta veces, sino también en América, donde aparecieron más de cien ediciones; además fue llevada al cine en cinco ocasiones.

Con el paso del tiempo, La casa de la Troya *ha venido a ocupar un lugar más modesto en la narrativa española, aunque sigue conservando vivo su valor como pintura de la vida estudiantil en el Santiago de Compostela de finales del siglo XIX.*

3

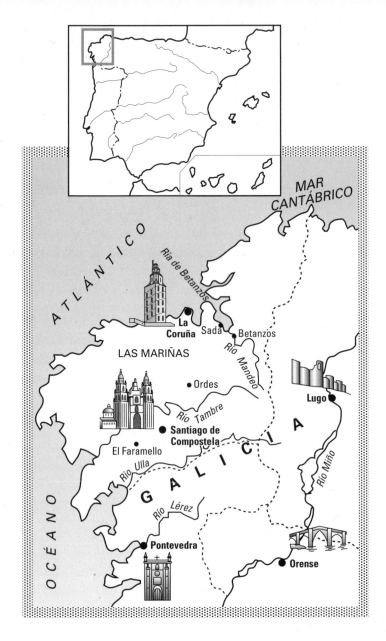

MAR
CANTÁBRICO

ATLÁNTICO

Ría de Betanzos

La
Coruña
Sada
Betanzos

LAS MARIÑAS

Río Mandeo

Ordes

Lugo

Río Tambre

Santiago de
Compostela

El Faramello

G A L I C I A

Río Ulla

Río Miño

Río Lérez

OCÉANO

Pontevedra

Orense

4

I

EL final del verano había llegado. Alrededor del coche de caballos, los viajeros, en su mayor parte estudiantes que iban a buscar en la universidad de Santiago la ciencia que debía hacer de ellos médicos o abogados, se despedían de sus familias. Las vacaciones se habían acabado, pero ninguno estaba triste, y ahora se preparaban para seguir divirtiéndose lo más posible a la sombra de la universidad compostelana.

—¡Al coche! —gritó el conductor.

Sin preocuparse de las bromas y risas de los que iban a ser sus compañeros de estudios, Gerardo se dejó llevar hasta el estrecho coche de tres asientos y se sentó en la parte de atrás. Nadie había ido a despedirlo ni lo conocía en La Coruña, donde sólo había pasado veinticuatro horas. Sin embargo, era tanta su pena ahora que dejaba esta ciudad como cuando se había marchado, dos días antes, de su queridísimo Madrid.

El reloj de la iglesia dio las doce y el conductor subió al coche, que empezó a moverse en seguida. Una a una cruzó las calles rápidamente, hasta alcanzar la carretera que se perdía en la montaña.

El viaje iba a ser largo y Gerardo se preparó para pasar aquella tarde pensando en todo lo que dejaba atrás. Desde que, dos años antes, su padre se había ido a París por motivos de trabajo, Gerardo se había quedado solo para seguir sus estudios de abogado. Pero libre, joven y con dinero, no había hecho más que gastar y divertirse. Además últimamente se había enamorado[1] como un loco de *la Mañitas*, una corista[2] del Teatro Apolo.

Pero una mañana, sin avisar, se había presentado su padre en Madrid para decirle que había decidido enviarlo a Santiago a terminar su carrera[3].

Y allí estaba él, en un coche de caballos, camino de una ciudad que, sin conocerla, ya tan triste le parecía.

Al llegar a Ordes, empezó a llover, primero suavemente, más fuerte después.

«Ya se ve que estamos cerca de Santiago de Compostela» —se dijo Gerardo.

Era noche cerrada cuando los viajeros vieron los faroles[4] encendidos de una calle, y en seguida, una pequeña iglesia.

El coche cruzó una plaza y un minuto más tarde se paró. Entonces un grupo de personas con paraguas se acercó a las puertas. Gritaban el nombre de diferentes fondas[5].

—¡La Estrella!

—¡Fonda Suiza!

—¿Quiere que lo lleve a alguna fonda? —preguntaban a los viajeros.

Bajo una suave lluvia, Gerardo se dejó conducir por un hombre a la fonda que le habían propuesto como la mejor, entre unas estrechas y oscuras calles de piedra gris. Las casas que encontraba en su camino eran bajas y del mismo color oscuro que el suelo. Todas las tiendas estaban ya cerradas. El reloj de la Catedral[6] daba lentamente la hora.

En la fonda, una criada[7] fea y mal vestida llevó a una habitación al nuevo cliente. Era pequeña y tenía algunos muebles viejos y poco cómodos. A Gerardo no le gustó mucho su aspecto, pero aceptó la habitación sin decir nada. Luego, cuando se fueron la criada y los hombres que le habían llevado el equipaje, cerró la puerta y se sintió triste, tan triste como sólo se puede estar en la fría y extraña habitación de una fonda.

Gerardo fue al balcón, lo abrió y miró hacia fuera. Daba su cuarto a una calle estrecha y corta. Parecía que podía tocar la casa de enfrente alargando el brazo, y la verdad es que no le faltaba mucho. Seguía lloviendo. Los tejados dejaban caer el agua de la lluvia, que se rompía contra las piedras del suelo. Gerardo cerró la puerta del balcón de golpe. Se tiró en la cama y empezó a llorar como un niño.

***

La universidad de Santiago estaba llena de estudiantes aquella mañana, primera de curso. Sentados en los bancos de piedra que hay a lo largo de las paredes o paseando por el patio, los jóvenes charlaban alegres. Sobre Rivas, el bedel[8], caían miles de preguntas a las que él contestaba sin ganas. Y hacia él también fue Gerardo cuando estuvo dentro de aquel edificio, un edificio que, desde el primer momento, le pareció feo y antipático, y tan distinto de la universidad madrileña...

—¿Dónde están las clases de quinto curso? —le preguntó.

—Allí arriba, en el primer piso —le contestó el bedel.

Gerardo subió hasta la clase y entró en ella. Al poco rato llegó el profesor, don Servando, que empezó a leer los nombres de los estudiantes uno por uno. Cuando llegó a «Roquer y Paz (don Gerardo)», todos se volvieron hacia él que, de pie, contestaba ya a las preguntas del profesor.

—Usted[9] no es de esta universidad. ¿De dónde viene?

—He estudiado en Madrid.

—Muy lejos ha venido usted. Espero que se encuentre bien aquí.

Después de leer el nombre del último alumno, don Servando se limpió las gafas con el pañuelo, se rió y dijo:

—Señores... yo debería empezar ahora a pronunciarles un larguísimo discurso[10], como están haciendo a esta hora en toda España mis compañeros profesores... Pero hace un sol maravilloso y ustedes seguro que quieren irse a pasear a la Alameda... Y yo también. Así que váyanse ustedes. Hasta mañana.

Cuando los jóvenes estaban saliendo al pasillo, se le acercó a Gerardo uno de sus compañeros.

—¡Hola! —le dijo—. Le he oído decir a usted que es de Madrid. Yo también soy de allí. Me llamo Augusto, Augusto Armero.

—¿Es usted también madrileño? ¿Y le gusta esto?

—Bueno, no está mal. Llevo en Santiago siete años. Mis padres prefieren vivir en Galicia. Ande, véngase a pasear a la Herradura hasta la hora de la siguiente clase. Ya verá qué paseo más bonito.

Mientras andaban por el centro de la ciudad, Augusto contaba a un Gerardo muy poco interesado por sus explicaciones, la historia de la universidad y todos los detalles de la vida en Santiago.

Por fin, llegaron a la Herradura, que era y es, un precioso paseo desde donde la ciudad aparece como un cuadro maravilloso. Y donde, por encima de todo, sobre los oscuros tejados de las casas, se dibuja la famosa Catedral de Santiago.

—¡Qué bonito es esto! —dijo Augusto después de un largo rato de silencio.

Gerardo tuvo que dar la razón a su nuevo amigo y, durante unos minutos se olvidó de Madrid, pero, triste todavía, explicó a Augusto:

—Quiero darle las gracias por este paseo, pero... soy un compañero bastante aburrido. Cuando esté más tranquilo, seguramente seremos muy buenos amigos. Ahora, necesito estar solo. ¿Sabe?, me he dejado la vida en Madrid.

–¡Amigo mío! ¡Lo mejor contra la tristeza es la gente! Pero ¡bah!, esto es sólo cosa de los primeros días. A todas las personas que vienen a Santiago por primera vez les ocurre lo mismo. Y, dígame, ¿qué hacía usted en Madrid?

–Divertirme.

Estando los dos jóvenes en esta conversación, pasó, cerca de ellos, un grupo de estudiantes, compañeros de clase.

–¡Eh! ¡Augusto, Roquer! –les dijeron entre risas–. ¡A clase, que ya es la hora!

Y los dos volvieron en seguida a la universidad.

II

AL tercer día de curso, Gerardo no volvió a ir a la universidad. Cada día que pasaba se sentía peor en Santiago. Se levantaba al mediodía y, a veces, más tarde. Comía solo en su cuarto. Se iba en seguida al Café del Siglo, donde leía todos los periódicos de Madrid que caían en sus manos. Y cuando veía llegar a los primeros estudiantes, se marchaba de paseo por el Hórreo[11]. Le gustaba aquella carretera porque no se encontraba con nadie. Pasaba horas y horas andando. A la vuelta se sentaba en el banco de una plaza, no tanto por descansar como por entrar un poco más tarde en la ciudad, que cada vez le parecía más horrible.

Además de Gerardo, empezó a pasear por el Hórreo un hombre de barba y bigote blancos, siempre del brazo de una señorita elegante, alta y delgada. Vestida de luto[12], como el anciano que la acompañaba, y que sin duda era su padre, desde el primer momento, Gerardo la encontró antipática y cursi[13].

Una tarde en la que el madrileño, más triste que de costumbre, se encontraba sin ganas de andar, se sentó en un banco. Tan perdido estaba en sus pensamientos que no se dio cuenta de que el anciano y la señorita antipática se encontraban descansando muy cerca de él. Y sólo despertó de sus sueños cuando escuchó la voz de una vieja gitana[14] que le pedía limosna[15].

–Señorito, déme algo de dinero, por el amor de Dios...

–¡Váyase de aquí, por favor! –contestó Gerardo.

–Una limosniña* –siguió diciendo la mujer.

Gerardo volvió la cabeza sin contestar. Entonces la gitana, mirando a la señorita, pidió de nuevo:

–Ayude a esta pobre vieja. Que yo rezaré[16] a la Virgenciña[17] por usted y por esa rapaza[18], que es blanca como la nieve y rosiña como aquellas nubes que se van por allí con el sol. Ayúdeme, señor... Si me da una monediña[19], se casará con la señorita y serán ustedes muy felices...

Gerardo era, sobre todas las cosas, un caballero[20]. Así que por respeto[21] a la señorita dio a la gitana todo el dinero que llevaba en el bolsillo, mientras la joven miraba tímidamente al suelo.

Poco después, Gerardo se levantó, y sin preocuparse de sus vecinos de paseo, subió por la calle del Castiñeiriño y se marchó enfadadísimo. Era lo único que le faltaba: ¡casarse

---

* En Galicia es corriente formar los diminutivos añadiendo «-iño», «-iña» a los sustantivos y adjetivos, no sólo para expresar tamaño, sino, sobre todo, con valor afectivo y familiar. Este rasgo propio de la lengua gallega –hablada en Galicia y en parte de Asturias, León y Zamora–, puede aparecer también en el español que se habla en estas zonas, de ahí el empleo de **limosniña** en vez de **limosnita**, **rosiña** por **rosita** y **monediña** en vez de **monedita**.

él con una gallega...! De repente se acordó de *la Mañitas*, la corista del Teatro Apolo, y Gerardo se sintió morir. ¡Qué mujer! ¡Ella, ella sí que era una mujer, y no la señorita esa del Hórreo!

Esta aventura le puso de tan mal humor que, cuando por fin llegó a la fonda, se prometió no volver a salir a la calle.

Esa noche Gerardo se acostó sin cenar y pasó el día siguiente enfermo en la cama. Al otro se encontró mejor, pero tan triste que no quiso salir a la calle. Se sentó en un sillón, de espaldas al balcón, y se preparó para pasarse allí la vida llorando y fumando. Pero, a media tarde, alguien llamó a la puerta y, un segundo después, entraba Augusto Armero a la habitación, tan alegre como siempre.

–Pero, ¿qué es esto, Gerardo? –saludó el estudiante–. ¿Qué le pasa a usted? Así que el caballero tiene morriña[22]. Pues ¡ea!, esto se acabó. Lo que usted necesita es cambiar de vida. ¡Arriba, arriba! ¡A la calle! Mire usted qué día tan maravilloso hace –dijo mientras abría las ventanas para dejar entrar la luz del sol–. ¡A la calle!

–No, no salgo –contestó Gerardo–. No quiero ver a nadie.

–Sí; sale usted porque le hace falta. Está enfermo y no tiene aquí familia que se ocupe de usted. Pues yo seré su familia. ¡Deprisa, deprisa –siguió diciendo su amigo–, que no le va a pasar nada en la calle! Además ya sé yo cómo quitarle a usted esa morriña. Le voy a presentar a unas guapas rapazas que conozco.

—No, eso no —contestó Gerardo—. Iré de paseo con usted, por todas las calles de Santiago si quiere, menos por la carretera del Hórreo.

—Bueno, iremos al Camino Nuevo, que por allí pasean unas muchachas preciosas. A usted lo que le hace falta es una novia, pero, sobre todo, necesita salir de esta fonda e irse a vivir a una casa de estudiantes. Allí tendrá compañeros con los que hablar. Ellos le cambiarán el humor. ¿Qué le parece la idea?

Gerardo, que se encontraba muy débil, se dejó convencer. Y esa misma tarde, Augusto ya había encontrado una nueva habitación para su amigo.

—Vámonos a la calle de la Troya, a la casa de doña Generosa. Allí viven los estudiantes más divertidos de la universidad, estudiantes de la tuna[23]; todos rapaces de buena familia y siempre preparados para divertirse.

Entre los dos recogieron las cosas de Gerardo y se fueron a la casa de la Troya.

La habitación le gustó mucho a Gerardo y todavía más la dueña de la casa, doña Generosa, una señora como de sesenta años, que parecía muy simpática.

Después de colocar los libros y la ropa en su nuevo cuarto, Gerardo bajó al comedor. Cuando llegó a la puerta, se quedó parado, mirando curioso lo que ocurría dentro. Seis o siete estudiantes se encontraban alrededor de un joven, el único bien vestido, y no lo dejaban salir del rincón al que lo habían llevado. Los otros... uno vestía un abrigo viejo que le llegaba hasta el suelo, otro sólo llevaba una chaqueta de verano que le hacía enseñar sus delgadísimas piernas. Por toda la habitación había grupos de estudiantes que, con trajes igual de extraños y originales, corrían dando gritos.

—Samoeiro —decían unos—, ayúdanos o será peor para ti.

—Dejadme, que no tengo ganas de broma —pedía Samoeiro.

—No es broma. Estamos en peligro y te necesitamos. Préstanos tu traje nuevo para acabar un importantísimo negocio.

—Venga —decía otro—. Hace setenta y dos horas que no fumamos nada y seguro que tu traje vale unos buenos cigarrillos. Eres el único que todavía no ha empeñado[24] la ropa ni los libros.

—No, ya os he dicho que tengo que visitar a mi novia esta tarde. Decidme cómo voy a ir sin mi traje —contestaba Samoeiro.

—Tienes otros.

—Sí, pero están sucios y no puedo ir en camisa.

—¡Samoeiro, eres un mal compañero! —gritaban todos.

En aquel mismo momento entró doña Generosa al comedor.

—¿Qué pasa aquí? —preguntó—. ¿Por qué siempre tienen que estar igual con el pobre señorito Samoeiro? ¿Cuándo van a ser buenos con él?

–Que lo sea él con nosotros, doña Generosa –contestaron los jóvenes.

–Bien, pues ahora quédense tranquilos, que aquí tienen a un compañero nuevo –dijo presentando al madrileño.

–¡Ah! ¿El señor Roquer y Paz, don Gerardo, viene a vivir a esta casa? –preguntó Madeira, un estudiante que estaba en la misma clase que Gerardo–. Pues me alegro. Así perderá ese aspecto de pajarillo asustado que tiene usted.

Por fin se sentaron a la mesa. En seguida entró una criada con unos platos de sopa y todos empezaron a comer mientras contaban a Gerardo sus últimas aventuras.

III

GERARDO se encontraba mucho mejor en la casa de la Troya, pero seguía haciendo la misma vida que antes: nada de clases ni estudios. Se levantaba alrededor del mediodía, se acostaba pasada la medianoche y por las tardes paseaba por el Hórreo, unas veces solo y otras acompañado por Augusto. Éste le contaba detalles de la vida de las personas que encontraban en el paseo y, sobre todo, del caballero y de la señorita que tanto habían molestado a Roquer el día de su aventura con la gitana.

−Mira, esa joven es Carmen Castro Retén −le dijo en una ocasión−. Su familia es una de las mejores de Galicia. Y, además de rica, la chica es guapa, como ves. Su madre, muerta hace menos de dos años, le ha dejado una casa en El Faramello. El hombre que pasea con ella es su padre, don Laureano. Tiene muchas tierras y un buen pazo[25] cerca de La Coruña, en las Mariñas de Betanzos, donde pasan los veranos. Mira bien a esa rapaza porque lo que tú necesitas es una novia, y otra mejor que ésta no vas a encontrar en Santiago.

−¡Calla, hombre!

−Que sí, Gerardo, que te hace falta una novia. Claro que no te va a ser muy difícil encontrarla aquí. Están todas las muchachas interesadísimas por ti. Pero ninguna, ninguna es como Carmiña Castro.

—Pues no es la clase de mujer que me gusta a mí —contestó Gerardo—. No es fea, es verdad, pero no me gusta. Además, te diré una cosa: yo no me casaré con una gallega, todas me parecen antipáticas.

—¡Ya está bien, amigo mío! Eso sí que no es verdad. Estás muy equivocado, porque no hay mujeres como las gallegas... Dice una vieja canción: «El hombre que soltero entra en Galicia, casado sale.» Todavía tienes que pasar bastante tiempo en Santiago, y quién sabe lo que te puede ocurrir en el futuro.

—Difícil es. Para mí las mujeres...

—¿Sigues pensando en *la Mañitas*?

—Es extraño —contestó el madrileño después de pensar un poco—, pero sin darme cuenta, ha desaparecido de mi memoria.

—Pues entonces, deja que me ría de tu mal humor y que siga contándote cosas de estas gentes...

***

Una tarde, cuando volvía Gerardo de dar un paseo por el Hórreo, donde no había otras personas que Carmen Castro y su padre, en el sitio de costumbre, se encontró con un grupo de jóvenes que salían de la taberna[26] de la Seca. Eran éstos cuatro rapaces que conducían, de una cuerda[27] que llevaba al cuello, a un viejo que había bebido demasiado.

—¡Baila, baila! —decían entre grandes risas.

Y el pobre viejo se dejaba llevar y bailaba.

—Dejadlo tranquilo —gritó Gerardo corriendo hacia ellos cuando vio lo que ocurría.

Sorprendidos, al principio los jóvenes se quedaron quietos, pero inmediatamente después se volvieron hacia el estudiante para golpearlo.

Unas mujeres que estaban lavando la ropa en el río empezaron a gritar y a tirar piedras. Los rapaces, cuando vieron que un estudiante muy fuerte salía de la taberna para ayudar a Gerardo, se marcharon dejándolo herido en el suelo.

Don Laureano Castro y su hija fueron los primeros en llegar al lugar donde estaba Gerardo.

—¿Se encuentra usted bien? —preguntó el anciano mientras Carmen limpiaba la cara del joven con un pañuelo—. Si quiere, podemos acompañarlo a su casa.

—Muchas gracias, pero no es nada. Puedo ir solo —contestó Gerardo guardando en su mano el pañuelo de Carmen.

Pero cuando llegó a la casa de la Troya, no se encontraba bien y siguiendo los consejos de Adolfo Pulleiro, estudiante de medicina, se metió en la cama.

La aventura de Gerardo, él solo contra cuatro, se hizo muy famosa entre sus compañeros de fonda, que sintieron como suyos cada uno de los golpes que había recibido. Así que el joven no pudo quejarse de falta de visitas los dos días que estuvo en cama.

Aquella misma semana, recibió una carta de su padre. En ella le decía: *Desde este momento, mi amigo el señor don Ventura Lozano te dará el dinero que te envío cada mes. Si tienes algún problema, cuéntaselo a él, que muy buenos consejos sabe dar. Pero antes de nada, preséntate en su casa.*

–¿Quién es don Ventura Lozano? –preguntó el madrileño a su compañero Casimiro Barcala, que conocía a todo el mundo en Santiago.

–Un señor muy serio y elegante que te va a volver loco con su complicada conversación. Fue Juez[28] hace unos años y tiene unas hijas... preciosas. Yo mismo he sido novio de una de ellas, de Moncha. ¡Qué rapaza!

Gerardo se vistió al día siguiente con su mejor traje, se colocó un sombrero y fue a visitar a don Ventura. Vivía este señor en la calle del Franco, en una casa de dos pisos con balcón y grandes ventanas. Gerardo llamó a la puerta y una criada lo hizo pasar dentro.

Unos minutos después salió a recibirlo un señor de unos cincuenta años, pequeño, calvo, largo de cara y bigotito blanco. Iba vestido de negro con chaqueta y corbata.

–Ya me había avisado su padre de su próxima visita –dijo don Ventura saludando al estudiante–, lo que es para mí motivo de alegría. Pero no nos quedemos aquí. Por favor, venga conmigo al piso de arriba.

Subieron los dos a un gran salón donde estuvieron charlando un rato. Don Ventura hablaba sin parar.

–Hasta mí ha llegado una historia ocurrida hace pocos días en la carretera del Hórreo. Sé que puso usted su vida en peligro por ayudar a un pobre anciano, pero debe tener cuidado con esos asuntos. Yo escribiré a su padre cada mes para hablarle de su vida en Santiago, pero, por una vez, voy a callar esta aventura para no preocuparlo.

–Muchas gracias, don Ventura –contestó Gerardo.

–Bien, Roquer, quiero ahora presentarle a mi mujer.

Don Ventura salió de la habitación para volver en seguida acompañado de una señora alta, con el pelo gris.

–Por favor, quédese a tomar algo con nosotros –le dijo ésta al joven después de un rato de conversación–. Hoy tenemos una pequeña fiesta en esta casa. Es el cumpleaños[29] de nuestra hija mayor. Así la conocerá usted.

Nuestro amigo miró hacia la puerta queriendo irse, pero no pudo hacerlo porque doña Segunda ya llamaba a gritos a sus hijas: «¡Filo! ¡Moncha!».

En seguida aparecieron dos muchachas que el señor Roquer encontró bonitas y agradables. En tres minutos hicieron las jóvenes a Gerardo catorce mil preguntas y le imaginaron veinte novias. El madrileño se divertía muchísimo con este juego.

Todos juntos subieron al segundo piso. En el comedor había dos señoritas que don Ventura presentó al joven.

—Niñas: tengo el gusto de presentaros al señor don Gerardo Roquer y Paz, hijo de mi queridísimo amigo el señor don Juan Roquer. Señor Roquer, dos amigas de mis hijas: la señorita Briay, Elvirita Briay, y la señorita Castro, Carmiña Castro Retén.

Una vez en la mesa, doña Segunda sirvió el café y los pasteles mientras la conversación se hacía cada vez más alegre. Las muchachas querían saberlo todo sobre la vida en Madrid: los toros, los teatros, los conciertos. Y a todo Gerardo contestaba intentando divertirlas e interesarlas lo más posible.

—¿Ha estado usted en Madrid? —preguntó el estudiante a Carmen Castro.

—Sí, señor. Cuatro o cinco veces, siempre por poco tiempo. No conozco muy bien Madrid, pero lo que he visto no me gusta. Las ciudades demasiado grandes como Madrid o París me dan miedo. Yo prefiero vivir en sitios más pequeños donde todo el mundo se conoce.

Gerardo y Carmen siguieron hablando buena parte de la tarde y él quedó encantado con la joven. Le pareció una chica inteligente y agradable, además de guapa. Recordaba el día en que Augusto le había hablado de ella paseando por el Hórreo.

«¿En qué estaba pensando yo el día que la vi por primera vez?» —se dijo a sí mismo—. «¿Cómo no me pudo gustar entonces?»

Al final de la fiesta, las muchachas empezaron a cantar canciones gallegas. Y entre las de sus amigas, la voz de Carmen le pareció a Gerardo el dulce canto de un pájaro.

Después, cuando durante un momento se encontraron los dos solos en el balcón, Gerardo volvió a dar las gracias a Carmen por la ayuda que ella y su padre le habían prestado con ocasión de su aventura en el paseo del Hórreo.

—Y tengo que pedirle un último favor —siguió diciendo Gerardo—. ¿Puedo quedarme con su pañuelo como recuerdo?

—¿Para qué? —contestó la joven mirándolo dulcemente a los ojos—. ¡Qué débil es el recuerdo que necesita de un pobre pañuelo para seguir vivo!

Cuando cerca de la caída de la tarde salió Gerardo de casa de don Ventura, las palabras de Carmen y la luz de sus ojos siguieron en su memoria durante mucho tiempo. ¡Oh esas canciones, y esa voz...! ¿Por qué se sentía tan bien recordando? ¿Qué era aquello? Gerardo no lo sabía, pero le parecía que un sentimiento nuevo y agradable había alcanzado el fondo de su corazón...

***

Llegó Gerardo a la casa de la Troya ya de noche. Desde el portal oyó unas voces que se hicieron más claras cuando abrió la puerta. Y, sin subir a su cuarto, se fue al comedor donde sus compañeros, acompañados de guitarras, estaban cantando.

Y como habían dicho, la primera parada fue delante de la casa de la señorita Castro Retén.

–¿Qué hacéis? –les preguntó Gerardo, cuando terminaron la canción.

–Estamos preparándonos para salir esta noche. Samoeiro está enfadado con nosotros; el otro día le empeñamos un traje sin su permiso y queremos que nos perdone dándole serenata[30] a su novia.

–Y, ¿puedo pediros... –dijo tímidamente Gerardo– que vayáis a una casa a tocar cancioncillas gallegas?

–¿Es que tienes alguna amiguita? –gritaron los jóvenes.

–No, no es eso –contestó Gerardo–. Sólo quiero dar las gracias a una persona con una serenata. Nada más. Pero si me hacéis este favor, os invito a todos a cenar.

–Hecho.

Y como habían dicho, la primera parada fue delante de la casa de la señorita Castro Retén.

Al poco tiempo de empezar la serenata, a Gerardo le pareció que se movían las cortinas del balcón. Augusto también se dio cuenta y en cuanto terminó la primera canción, llamó con voz fuerte:

–¡Ay, tú, Gerardo! ¡Roquer!

–¿Por qué me llamas si estoy a tu lado? –contestó éste en voz baja.

–Así sabe Carmen que eres tú el que le da la serenata.

Después de tres o cuatro horas más de cantar por todo Santiago, los estudiantes fueron a cenar a la taberna de las Crechas, donde hubo pescado, queso y vino para todos.

IV

DESDE aquel día, Gerardo empezó a pasear todas las mañanas, cerca del mediodía, y por las tardes, de vuelta de su paseo, delante de la casa de Carmen. Vivía esta señorita en la calle de la Senra, que es, sin duda, la más alegre de Santiago.

Los balcones de la casa de los Castro estaban siempre cerrados, siguiendo la costumbre santiaguesa de tener a oscuras las principales habitaciones de la casa. Las blancas cortinas del segundo piso se encontraban siempre caídas y quietas. A veces creía ver Gerardo que se movían un poco cuando él pasaba por allí. Pero, ¿por quién se movían? ¿Por Gerardo o por algún otro de los jóvenes que, puestos los ojos en la casa de la señorita Castro, paseaban también por la calle? Porque Gerardo no era el único joven enamorado de Carmiña. Entre ellos, posiblemente el más peligroso, estaba Octavio Fernández Valiño, primo de la joven, que quería casarse con ella. Pero más interés que Octavio en esta boda tenía su madre, doña Jacinta Valiño, más conocida por *la Maragota*[31], que buscaba sobre todo el dinero de su sobrina.

Bien pronto se supo en la casa de la Troya que el madrileño estaba enamorado de Carmen. El primero que se dio cuenta fue Augusto Armero.

—Me parece que a ti te gusta mucho la señorita Castro, Gerardo. Tú estás enamorado... —le dijo una tarde que lo encontró en la Senra.

—No, no. Es que Santiago es muy aburrido. Sólo quiero divertirme un poco.

—Pues ten cuidado, que las rapazas gallegas, tan sencillas, tan dulces y tan suaves, son peligrosísimas.

Pero Roquer, seguro de sí mismo, no dio importancia a las palabras de su amigo y siguió su camino.

La sonrisa con la que la muchacha contestaba a sus saludos cuando se encontraban en la calle o en el paseo, hicieron pensar a Gerardo en un fácil y próximo éxito[32]. Y día a día, casi sin darse cuenta, su amor por Carmen se hizo cada vez mayor.

Pasado algún tiempo, Gerardo decidió escribir una carta a la joven para contarle lo que sentía por ella. Y después de romper no sé cuántos papeles, por fin consiguió escribir algo que le gustó. Al día siguiente, le dio la carta a la criada de la señorita Castro Retén, acompañada de una moneda por el favor. Y poco antes de llegar la noche, ya estaba Gerardo esperando en la esquina de la calle del Peso la respuesta de Carmen.

Por fin vio acercarse, muy seria, a la criada con un papel en la mano. En seguida conoció lo que era: su carta, la misma que con tanta pasión e interés él había escrito. La criada se la devolvió[33] sin abrir.

—No quiso leerla —le dijo—. ¡Virgenciña, cómo se enfadó! Me ha prohibido coger otro papel de usted y, además, me ha mandado devolverle el dinero que me dio. Pero con las prisas, se me olvidó en la casa. Así que mañana se lo traeré.

Gerardo se sentía herido. Era la primera vez que recibía una respuesta como ésa de una mujer. Entonces... ¿por qué había sido tan amable con él? Aquellas sonrisas, aquellas palabras en casa de don Ventura, ¿qué querían decir? Lo peor de todo era el poco interés que tenía por él. ¡Devolverle la carta sin abrir! Y la gente le decía que era tan seria, tan buena... ¡Bien se había divertido con él! Pero eso no iba a quedar así, desde luego que no.

Y pensando así estaba cuando, de repente, una duda cruzó por su cabeza: ¿Y si había hecho algo que no debía? ¿Y si había roto alguna costumbre que él no conocía? Entonces, un poco ya más seguro de sí mismo, pensó en ir a buscar a sus amigos para pedirles consejo. Fue hacia el Casino[34], donde encontró a Augusto.

—Tú le has escrito a Carmen y ella te ha devuelto la carta —le dijo éste—. Es normal. ¿Qué querías? Ninguna chica dice que sí en Santiago a la primera. Son cosas de la costumbre... La primera carta se devuelve sin abrir, así que tú debes escribirle otra.

—A mí esas cosas no me han importado nunca.

—Tú verás... Pero aquí los asuntos del amor van así.

Naturalmente, Gerardo se dejó convencer por las palabras de su amigo y escribió una segunda carta con más pasión que la anterior. A la mañana siguiente buscó a la criada de Carmen para darle su carta y, esta vez, dos monedas de más. Pero esa misma tarde, Gerardo volvió a recibir la carta cerrada.

—La señorita no quiere saber nada de usted —le dijo la criada—. Por favor, no le escriba. Si cojo alguna carta más, me despiden. Aquí tiene usted su dinero, faltan cuatro pesetas, que no he podido encontrar. Ya se las devolveré otro día.

Gerardo no quiso tomar el dinero y se marchó sin decir palabra, enfadado y profundamente herido. Escapando de la gente fue por la Fuente de San Antonio, que estaba vacía a esa hora; siguió por la calle de la Virgen de la Cerca; subió por la oscura calle de los Laureles y llegó a su casa con el peor humor del mundo. Cuando entró en su cuarto decidió olvidar a Carmen por completo. Sí, eso era lo mejor.

Al mismo tiempo que el corazón de nuestro amigo, el cielo de Santiago se había llenado de nubes grises. Para Gerardo, no podía llegar la lluvia en un mejor momento. Profundamente triste y aburrido, pasó la tarde en su cuarto, mirando caer la lluvia gris por la ventana.

—Pero, ¿qué es esto? —le preguntaron sus amigos cuando esa misma noche entraron en su habitación—. ¿Tienes morriña? ¿O quizás es amor?

—No puedo seguir así —contestó Gerardo—. Estoy aburrido. Tengo que salir de esta ciudad. Voy a escribir una carta a mi padre pidiéndole que me saque de aquí.

—Carmen te ha vuelto a decir que no, ¿verdad? —preguntó entonces Augusto—. Pero, ¿qué querías, Gerardo? ¿Llegar de Madrid y llevarte a la mejor rapaza de Santiago de Compostela?

—¡Yo no estoy enamorado!

—¿Ah, no? Bueno. Eso dices tú. Pero mientras te convences, y para olvidar tus tristezas, te invito a jugar a las cartas arriba con nosotros.

***

Quizás por las palabras de sus amigos, o quizás porque un corazón de veintidós años no puede estar triste durante mucho tiempo, la verdad es que Gerardo cambió de humor. Iba al Casino por las tardes con sus amigos; con ellos se jugaba a las cartas el dinero que le enviaba su padre; y algunas noches acompañaba a los estudiantes a cenar a los restaurantes y tabernas de Santiago.

Así pasaron los días y las noches del madrileño hasta finales de enero. En todo este tiempo ni habló, ni tuvo noticias de la señorita Castro. No había vuelto a decir en voz alta su nombre, pero en un rinconcito de su memoria, seguía vivo el recuerdo de la joven.

Exactamente la tarde del primer día de febrero, salió Gerardo con Augusto en dirección a la taberna de los Concheiros[35], donde iban a encontrarse con sus amigos.

—Aquí en Santiago, cada piedra tiene su historia —le explicaba Augusto por el camino—. Mira, ahí, en esa calle, estaba el hospital[36] de Armenios. A esto le llaman la Puerta del Camino: por aquí entraban en la ciudad los peregrinos[37] que de todo el mundo venían a visitar el sepulcro del apóstol Santiago[38].

Se metieron entonces por una calle estrecha y sucia, cerca de la calle de San Pedro. Era uno de los barrios más pobres de la ciudad, donde las casas eran tan viejas que casi se caían. De repente, Gerardo se quedó parado. De una de aquellas casas salía, con doña Segunda, Carmiña Castro Retén.

—Hay que acercarse a saludarlas —dijo Augusto andando hacia ellas sin darle a Gerardo tiempo a contestar—. ¡Qué extraño encontrarlas a ustedes por aquí! —dijo después, cuando estuvieron cerca de las dos mujeres.

—Y ustedes, ¿a dónde van? —preguntó doña Segunda.

—A ningún sitio malo, doña Segundiña —dijo rápidamente Augusto—. Salgo a pasear con este hombre que siempre está triste. Lo he traído aquí para enseñarle la Iglesia de la Virgen de Bonaval.

—Bueno, más vale así. Pues nosotras estamos visitando a algunos pobres para traerles ropa y comida. Debemos ayudar a los que tienen menos que nosotros, y como mañana, sábado, es fiesta, hemos venido hoy.

—Cierto. Mañana es fiesta y hay baile en el Casino —explicó Augusto—. Supongo, Carmiña, que usted irá, y sus hijas, doña Segunda, también.

—Yo no lo sé —dijo Carmen—. Todavía no lo he decidido.

—Pero lo decidirás —contestó doña Segunda—. Mis hijas, claro que van.

—Pues si usted va, Carmiña —le dijo Augusto—, ¿bailará conmigo?

—Encantada —dijo la joven.

Entonces Gerardo, que hasta aquel momento había estado callado y serio, preguntó a Carmen con voz poco segura:

—¿Se enfadará conmigo si le pido yo también un baile?

—¿Enfadarme? ¿Por qué? Claro que bailaré con usted... si voy.

—¡Vaya usted, Carmiña! —pidió el joven.

—Sí, irá —dijo doña Segunda—. Si no te puede llevar tu padre, vienes con nosotras. Y usted —siguió diciendo la mujer a Gerardo—, ¿qué hace ahora? Hace mucho tiempo que no va por casa.

—Salgo poco. He estado enfermo.

—¿Todavía no se ha acostumbrado usted a esta tierra? —preguntó Carmen.

—No me dejan. ¡Aquí hay personas que no quieren que me acostumbre!

–Pero, ¿qué está diciendo? –dijo entonces doña Segunda–. Aquí, en Santiago, la gente no puede ser más amable con los que vienen de fuera. Y con los estudiantes más. El recuerdo de Madrid y algún amor que allí tiene es lo que no lo deja tranquilo.

–Nada dejé allí, doña Segunda. Se lo prometo a usted –contestó Gerardo muy serio–. Ni en Madrid ni en Santiago se acuerdan de mí.

Se despidieron las señoras. Tenían todavía mucho que hacer. Las dos mujeres entraron en otra de aquellas casas, mientras los jóvenes siguieron subiendo por la calle.

–Me vuelvo a casa –dijo entonces Gerardo.

–Pero, ¿no vamos a los Concheiros?

–Tú sí; yo no. Tengo que comprar algunas cosas que necesito para mañana –contestó el madrileño.

–Sí, sí... Lo que tú tienes, ya lo sé yo. ¡Desde luego, Gerardo, qué suerte tienes!

–¿Te parece que esto es tener suerte?

–Pero, ¿tú te crees que no me he dado cuenta de cómo os mirabais?

–Entonces, ¿piensas que Carmen me miraba como yo a ella?

–¿Pero tú eres tonto o qué? ¡Pues claro, hombre! Espera que te acompaño.

Gerardo estaba feliz otra vez. El dolor había desaparecido de su corazón. Carmen iba a ir al baile.

V

AL día siguiente por la tarde, la entrada del Casino estaba llena de gente. La mayoría de los estudiantes de la ciudad se encontraban allí elegantemente vestidos con traje, corbata y los zapatos limpísimos.

No a la hora en punto, sino treinta o cuarenta minutos después, empezaron a llegar los primeros grupos de muchachas. Y por fin, un poco más tarde, entraron en el Casino Carmen Castro, Elvirita Briay, las niñas y la mujer de don Ventura y otras muchachas y mamás.

En cuanto Octavio Fernández, el hijo de *la Maragota*, vio llegar a Carmen, fue con seguridad hacia ella y la saludó con una cursi reverencia[39]. Pero cuando se levantó y quiso coger el brazo de su prima, la encontró riendo: delante de ella estaban Gerardo, Augusto y otros jóvenes más que pedían acompañarla hasta el salón del baile.

Tranquilamente, Carmen miró a todos los chicos y decidió tomar el brazo de Augusto. Gerardo entonces dio el suyo a Moncha y Octavio tuvo que quedarse con doña Segunda.

En seguida empezó la música. Y mientras las primeras parejas empezaban a dar vueltas por el salón, Gerardo, pálido y un poco nervioso, fue derecho hacia Carmen.

—¿Baila conmigo, señorita? —preguntó.

Ella se levantó sin decir una palabra y le dio su mano. Dieron las primeras vueltas en silencio. Gerardo se había preparado durante todo el día, pero llegado el momento no sabía qué decir.

—Baila usted maravillosamente —dijo por fin.

La música seguía y, sin pensarlo un minuto más, empezó a hablar:

—¡Carmen, Carmen, la quiero a usted con todo mi corazón!

Ella no contestó, pero su cara se puso roja y todo su cuerpo temblaba[40].

Gerardo seguía hablando de su amor sin mirarla a los ojos. Las palabras salían de su boca casi sin darse cuenta. Y le contó cómo se había enamorado de ella: aquellas cancioncillas en casa de don Ventura; el profundo dolor que sintió cuando ella le devolvió las cartas; el miedo, pero también la alegría de este momento feliz...

Cuando la música terminó, los dos fueron juntos a sentarse en un sofá. Carmen había estado escuchando en silencio a Gerardo, intentando saber si esas palabras de amor tan bonitas y llenas de pasión eran ciertas.

—Por favor, contésteme algo —pidió el estudiante.

—No se ponga nervioso y escúcheme —empezó a decir por fin la joven—. Nosotros casi no nos conocemos. Quizás usted sólo quiere divertirse conmigo y olvidar el recuerdo

—*No sé qué decir o qué hacer para probarle mi amor. ¿Quiere que me tire desde lo alto de la Catedral?*

de otros amores. Usted es un hombre que ha vivido mucho en Madrid y yo soy una sencilla señorita de pueblo.

—No sé qué decir o qué hacer para probarle mi amor. ¿Quiere que me tire desde lo alto de la Catedral? Pues mañana mismo lo haré.

Ella empezó a reír y pareció convencerse un poco, pero no dijo el esperado sí.

—Iré a clase todos los días si usted quiere —siguió diciendo Gerardo—. A mí no me hace falta estudiar porque mi padre es rico. Pero como a usted le gustan los hombres cultos, estudiaré como nunca. Y ahora, Carmen, Carmiña bonita, dígame que cree en mis palabras, dígame...

—Estudie usted. Su padre se pondrá muy contento.

—¿Y usted no?

—Estudie usted.

—Bien, si usted lo quiere, estudiaré. Se lo prometo —contestó Gerardo.

La fiesta siguió hasta muy cerca de las seis de la mañana. Y ya cuando iban a despedirse, él dijo:

—¿Le puedo pedir como recuerdo de esta noche esa flor que lleva usted en el pecho?

Carmen no contestó pero, cuando del brazo del madrileño bajaba la escalera decidida ya a volver a casa, se la dio sin decir una palabra. El joven besó la flor antes de colocársela en la chaqueta.

—Pero, ¿qué hace usted? —dijo ella mirando a su alrededor.

—No nos ve nadie —contestó él—. Todos están ocupados divirtiéndose durante estos últimos minutos felices de la noche.

Gerardo acompañó a Carmen hasta la puerta del Casino. El nuevo día era frío, pero él no lo sintió así.

***

Cuando Carmiña Castro Retén entró en su casa, ya estaba su padre levantado.

—¿Te has divertido mucho? —le preguntó don Laureano.

—Sí, papá. Y tengo que decirte una cosa. Gerardo Roquer me ha dicho que me quiere.

—¿Y tú qué le has dicho?

—Yo quería decirle que sí, porque ponía tanta pasión en sus palabras... Pero tengo miedo, quizás sólo quiere divertirse conmigo.

—Y le has dicho que no.

—No, papá, no he podido hacerlo. ¡Es tan simpático! Le he pedido que me pruebe su amor cambiando de vida. ¿Tú crees que cambiará? ¿Serán verdad sus palabras? ¿Tú crees que me quiere?

Don Laureano sonrió.

—A mí me parece que ya es muy tarde, y que debes irte a dormir. Ahora no es el momento de hacerse esas preguntas. Sólo el tiempo te dará la respuesta.

La besó y él también se fue a dormir.

VI

Y Gerardo estudió. Al principio le fue muy difícil; lo más duro era ir a clase todos los días durante cinco horas. Pero por fin, cuando terminaban las clases, ¡libre hasta el día siguiente! Entonces los estudiantes pasaban el tiempo en los cafés, en los paseos de la ciudad, y por la noche, en el Casino.

Ya no era Gerardo el estudiante vago que había llegado a Santiago en septiembre. Estudiaba cada día con su amigo Barcala y, como los dos eran listos y el trabajo poco, en menos de dos horas acababan los deberes del día.

Por las tardes y por las mañanas, entre clase y clase, daba Gerardo unas vueltas por la calle de la Senra, donde vivía Carmen. Allí se encontraba siempre paseando al señor Fernández Valiño, el hijo de *la Maragota*, acompañado de alguno de sus amigos.

Cuando pasaba Gerardo, se movía la cortina del balcón de Castro y, a veces, una mano blanca se movía detrás del cristal. En otras ocasiones, Carmen salía al balcón para saludarlo.

De la vida en Santiago, lo que más le gustaba a Gerardo eran los paseos de los jueves y domingos en la Alameda.

Allí iban todas las señoritas a pasear en pequeños grupos, mientras que sus madres se sentaban en los bancos, desde donde podían verlas ir y venir, una y otra vez, por el centro del paseo. Por supuesto, los estudiantes iban cada semana a la cita; de esta manera, Gerardo podía encontrarse con Carmen.

Y así pasaron los meses, y vino mayo. Fue entonces cuando los jóvenes empezaron a preocuparse de verdad por los estudios. Y llegó junio, con el miedo a los exámenes y las noches sin dormir, estudiando.

Todos nuestros amigos salieron bien de los exámenes y Gerardo aprobó[41] el curso entero. El joven no podía estar más contento. Y en cuanto supo la gran noticia, fue al Casino, donde escribió una carta a la señorita Castro. Era muy corta, decía así: *Hace unos meses le prometí estudiar y lo he hecho. He aprobado todo. Espero que ahora creerá mis palabras y me dirá que sí. Contésteme pronto porque salgo en seguida para Madrid.*

También escribió a su padre, que se encontraba desde hacía dos meses en Madrid, para avisarlo de su vuelta a casa.

Pero Gerardo no quería irse sin la respuesta de Carmen. Creía que había trabajado mucho para conseguirla y que debía tenerla ya. La joven le contestó con otra carta: *No dudo de su amor, pero prefiero esperar. Usted se va mañana y lo mejor es dejar las cosas como están hasta el próximo curso... si vuelve.*

Nervioso y de mal humor Gerardo iba a escribir otra vez a la joven, cuando pensó que debía hacerle una visita para despedirse de ella y de su padre. Sí, lo mejor era ir esa misma tarde y hablar con Carmen. Y así lo hizo. Entre las cinco y seis de la tarde, se presentó en el portal de la casa de Castro. Tímido y nervioso, como es la costumbre en esas ocasiones, entró Gerardo conducido por una criada, en un salón de muebles antiguos.

−¿Cómo usted por aquí? −le preguntó don Laureano cuando después de unos minutos apareció en la puerta del salón.

−Me marcho mañana a Madrid y vengo a despedirme de ustedes −contestó Gerardo.

−Siéntese, por favor. Ahora vendrá Carmiña. ¿Se va usted contento?

−No, contento no. Me he divertido mucho aquí y he hecho muy buenos amigos, por eso ahora me da pena dejar Santiago...

−Entonces, le tendrá que dar las gracias a su padre por haberlo enviado aquí.

No pudo contestar Gerardo. Se quedó sin palabras porque en ese momento apareció Carmiña, vestida con un sencillo vestido blanco y rojo, y una rosa en el pelo. A Gerardo le pareció más bonita que nunca.

−Así que se marcha usted a Madrid −dijo la joven.

−Sí; sí señorita. Y ustedes, ¿qué van a hacer?

–Nosotros pasaremos el verano en nuestro pazo de las Mariñas de Betanzos.

Se sentaron los tres a charlar. Hablaron durante un buen rato sobre Santiago, y el estudiante les contó cómo había cambiado su vida desde su llegada a esa ciudad.

–Pero, sobre todo –dijo el estudiante–, fue Carmen la que me enseñó a querer a Galicia. En un momento de esos que deciden la suerte de las personas, ella me hizo conocer el amor a Galicia con unas cancioncillas gallegas que me llegaron al corazón. ¿Carmiña, no recuerda usted aquella fiesta de cumpleaños en casa de don Ventura?

–Pues no, no me acuerdo –contestó ella.

Poco después don Laureano se despidió de Gerardo y dejó solos a los jóvenes.

–¡Es usted muy dura conmigo! –dijo Gerardo–. Cien veces he leído su carta. ¡Por favor, Carmiña! ¿Qué quiere usted decir? ¿Por qué duda todavía de mí?

–Usted se marcha mañana –contestó ella–. Volverá con sus antiguos amigos, volverá a aquella vida. Conocerá a otras mujeres más guapas, más elegantes y más graciosas y, a los dos días de estar en Madrid, se olvidará de mí.

–¡No, no y no! Aquí, en Madrid o en Pekín sólo pensaré en usted, y le prometo que volveré pronto.

–¿Y si no vuelve usted?

–¡Por Dios, Carmen! No dude más de mí. No perdamos más el tiempo. Yo le pido que me conteste. ¿Sí o no?

–¡Gerardo! ¡No me pida usted más! Sólo vuelva.

–Pues entonces volveré. ¡Volveré! ¡Volveré!

–¡Adiós, Gerardo!

Se despidió también Gerardo de Augusto y de los otros estudiantes de la casa de la Troya, y a la mañana siguiente salió para Madrid. Se iba triste, con pena, igual que había llegado a Santiago nueve meses antes.

***

En Madrid, en cuanto su padre lo dejó libre, Gerardo corrió a saludar a sus antiguos amigos. Pero muy pronto se dio cuenta de que no eran los mismos de antes o, tal vez, el que había cambiado era él. Gerardo los encontró fríos. Gente que sabía mucho sobre el mundo de los toros y del teatro, pero sin interés por ninguna otra cosa. Muy divertidos para una fiesta, o para varias fiestas, pero no eran amigos de verdad como los muchachos que había dejado en Santiago.

Sin embargo, salió con ellos durante algunos días e intentó divertirse todo lo que pudo. Pero a pesar de todo, nuestro amigo se dijo más de una vez que se divertía entonces menos que en Santiago cuando salía por las noches a dar serenatas con sus compañeros de la casa de la Troya.

De vez en cuando recibía cartas de sus amigos, y sobre todo de Augusto; cartas que él leía con gran interés. En una de ellas, Augusto le explicaba que había viajado a La

Coruña en el mismo coche de caballos que don Laureano y su hija Carmen: ...*mientras el padre dormía* –decía la carta–, *le conté a Carmiña que tú te aburres en Madrid. Le pareció increíble, pero le gustó saberlo... Amigo mío, creo que está tan enamorada de ti como tú de ella.*

Gerardo no podía estar más contento después de la carta de Augusto. Así que, cuando un día a primeros de agosto, su padre le dijo que tenía que volver a París por asuntos de negocios, él le contestó:

–Pues entonces, si tú no piensas otra cosa y me das permiso, me vuelvo a Galicia.

Y así lo hizo: quería pasar lo que quedaba del verano al lado de Carmen. Por esta razón el señor Roquer y Paz, don Gerardo, se encontraba al poco tiempo sobre un bonito caballo, que compró a un muchacho de La Coruña, preguntando a unos y a otros por el pazo de los Castro. No sabía muy bien dónde estaba, pero Augusto le había dicho en su carta que se encontraba cerca de la ría[42] de Sada.

Mientras viajaba, el joven estaba encantado con aquellas tierras: el mar, los árboles, los pájaros, los pueblecitos, y, sobre todo, aquel cielo azul...

Por fin, después de muchas horas de camino, se paró en una fonda.

–¿Tienen algo de comer? –preguntó Gerardo.

–Hay queso fresco, chorizos, pescado y jamón. ¿Tiene usted mucha hambre?

—Muchísima. Por favor, póngame un poco de todo.

Mientras le servían la comida preguntó a la dueña de la fonda:

—¿Conoce usted a don Laureano Castro, un señor de Santiago que tiene por aquí un pazo?

—Sí, señorito. ¿Cómo no lo iba a conocer? A don Laureano, y más a la señorita Carmen. Viven aquí cerquita, en el Outeiro; a la casa la llaman el Pazo de Castro.

Cuando oyó esto, a Gerardo se le cayó el tenedor que iba a llevarse a la boca; y perdió de repente el hambre con que había empezado la comida.

—¿Así que está cerca el Pazo de Castro? —volvió a preguntar.

—Sí, señor, muy cerca, a una media hora, nada más.

Gerardo se levantó entonces rápidamente y se preparó para salir.

—Pero, ¿no acaba usted de comer, señor? ¡Con toda el hambre que traía!

—Ya he comido bastante —contestó el joven—. Y dígame —preguntó después de pensar durante unos minutos—, ¿puedo quedarme en esta fonda unos días? Quiero una habitación y comida.

—Si tiene dinero, no hay ningún problema. Aquí le daremos una habitación limpia y comida.

—No se preocupe por el dinero —contestó Gerardo—. ¿Podría lavarme antes de salir? —preguntó después.

Subió el joven a la habitación que le habían dado. A pesar de que había hecho un largo viaje, Gerardo no quiso descansar. Se lavó deprisa y se cambió de ropa. Y pensando en la sorpresa de Carmiña, en lo que le iba a decir y lo que él iba a contestar, salió camino del Outeiro.

Por fin, después de andar durante un rato largo, Gerardo llegó hasta una pequeña plaza donde acababa el camino. Frente a él se levantaba una gran puerta roja cerrada, con dos bancos a cada lado. Se paró un momento el estudiante y, antes de abrir la enorme puerta, preguntó a un anciano que estaba allí con sus vacas[43]:

–Buen amigo, ¿es éste el Pazo de Castro?

–Sí, señor, éste es –contestó el viejo.

–¿Sabe usted si están los señores?

–Dentro tienen que estar. Yo no los he visto salir.

El joven empujó entonces la pesada puerta y entró. Se encontraba en un gran patio y, al fondo, se levantaba la casa de piedra de dos pisos, con un ancho balcón también de piedra y una escalera que subía al segundo piso. Pero Gerardo no vio nada de esto: ni casa, ni balcón, ni escalera. Sólo podía mirar a la mujer que en un rincón del patio, con un pañuelo rojo en la cabeza, daba de comer a las gallinas[44]. ¡Era ella! ¡Carmen, Carmen!

Nuestro amigo empezó a temblar y su corazón parecía querer salírsele del pecho. Después de unos momentos, el estudiante empezó a andar muy seguro hacia la muchacha.

—Rapaciña —dijo—, ¿podría decirme si vive aquí una señorita a la que yo quiero locamente?

—¡Usted! ¿Pero es usted? —contestó Carmen riendo.

—Yo mismo.

—¡Oh, pero qué sorpresa!

—¿Sorpresa nada más? He venido hasta aquí solamente para preguntarle si me quiere.

—¿Pero todavía necesita preguntármelo?

—Entonces... es cierto. ¡Qué feliz me hace usted! Gracias, gracias. ¿Por qué me ha hecho esperar tanto tiempo?

—Es que quería estar segura de su amor. Pero dígame una cosa, Gerardo: ¿estará mucho tiempo aquí? —le preguntó Carmen.

—El mismo tiempo que usted. Estoy en una fonda, aquí cerca. Somos vecinos.

—¡Vecinos! Bueno, ahora siéntese, por favor. En seguida vendrá papá. Voy a decirle que está usted aquí.

—¿Es que va a dejarme solo?

—No se preocupe, vuelvo en seguida.

Don Laureano estaba leyendo tranquilamente el periódico cuando Carmen entró, nerviosa, en su cuarto.

—¡Papá! ¡Papaíño! —dijo la joven abrazándolo[45]—. ¡Está aquí! ¡Ha venido! ¡Me quiere!

—¿Quién ha venido? ¿Quién te quiere? —le preguntó su padre—. Pero... ¡Qué tonto soy! Ya lo sé. El que ha venido es ese madrileño que quiere robarme a mi hija.

Don Laureano salió del brazo de su hija a recibir al joven. Charlaron durante largo rato sobre el viaje y sobre aquellas tierras gallegas que tanto le habían gustado a Gerardo. El carácter simpático del estudiante gustó mucho al anciano, pero más, ver a su hija tan alegre.

¡Tan felices fueron los días siguientes! Gerardo vivía en un mundo maravilloso, con la luz y los colores de aquellos campos y del cielo aquel. Carmen era otra mujer: una Carmiña sencilla, natural, muy distinta de la señorita que Gerardo había conocido en Santiago. Ella, segura ya de su amor, le abrió enteramente su corazón, sin rincones. Y así le contó cómo le había empezado a gustar desde el primer día que lo vio.

—Cuando te encontré aquella vez paseando por el Hórreo —le dijo—, ya me pareciste simpático. Luego unas amigas me contaron tu historia... que tenías una novia en Madrid y todo eso.

—Pero aquello pasó —dijo Gerardo.

—Sí, pero podías volver con ella. Después me di cuenta de que yo te interesaba, pero no te veía muy serio. Por eso te devolví las cartas y te hice esperar antes de decirte que sí.

Nunca tuvo el sol tanta luz como entonces para los enamorados. Estaban juntos todo el día: por la mañana subía Gerardo el camino que había entre la fonda y el pazo; y cuando llegaba, ya estaba Carmen esperándolo en el jardín. Luego, cerca de la hora de la comida, volvía el estudiante a la fonda, pero hacia las cuatro iba otra vez al pazo para pasar juntos la tarde. A veces, salían a pasear por los verdes campos de la ría. Otras, acompañaban a don Laureano a su rincón preferido y charlaban alegres mientras el anciano leía sentado en un banco de piedra.

Tampoco se perdieron ninguna fiesta de los pueblos de alrededor. ¡Aquellas romerías[46]! Iban las gentes a la iglesia por los caminos de tierra y piedra. Y a la salida, todos: viejos y jóvenes, ricos y pobres, cantaban, bailaban y bebían vino hasta caer la tarde.

Y así pasaban los días, siempre demasiado cortos para los novios. Aquella sencilla y tranquila vida parecía ser para siempre.

VII

Y de pronto... Una mañana temprano, cuando Gerardo miraba por la ventana de su habitación la niebla que escondía los campos, entró Tona, la dueña de la fonda.

—¿No sabe? —le dijo—. Abajo está Antón, el criado del pazo. Don Laureano está muy enfermo y el rapaz va a Sada a buscar al médico.

Sin contestar ni pararse a coger su sombrero, salió corriendo Gerardo hacia el Outeiro, mientras Antón iba camino de Sada.

En el pazo todos estaban nerviosísimos. Los criados iban y venían de un lado a otro como perdidos. En la puerta de la habitación de don Laureano había mucha gente, pero nadie supo decirle qué ocurría exactamente.

—Está maliño, muy maliño —decía uno.

—¡No habla, señor! —le decía otro.

Gerardo entró en el cuarto. Carmen, que estaba al lado de su padre, fue hacia él llorando.

—¡Se muere, Gerardo; se muere!...

Él se acercó a la cama. Le cogió una mano al enfermo y sintió que se moría. Durante un momento, sólo un segundo, el anciano le miró a los ojos y él entendió todo lo que quería decirle. Así que cogiendo a Carmen, que sentada en una silla baja lloraba con la cabeza sobre la cama, la puso en pie y le dijo suavemente:

—¡Bésalo!

Carmen acercó los labios a la cara de su padre.

—¡Papá, papá! ¡Háblame! —le dijo la muchacha—. ¡Soy yo, Carmen, tu hija! ¿Me oyes? ¡Habla; por Dios, habla!...

Pero don Laureano no contestó. Todo era inútil ya.

—¡Está muerto! —gritó Carmen llorando.

Gerardo, con el corazón lleno de dolor, le cerró los ojos; después abrazó a Carmen. Todo el amor que sentía por ella apareció en esos momentos difíciles.

Después de la muerte de don Laureano, el joven se ocupó de todos los detalles del entierro[47]; también de avisar a don Ángel Retén y a su mujer doña Jacinta, los tíos de Carmen.

Los días que siguieron a la muerte de su padre fueron especialmente tristes para Carmen. Su madre había muerto hacía poco tiempo y ahora se iba también su padre. Sus tíos, que fueron al pazo, en cuanto se enteraron de lo ocurrido, se quedaron en la casa para estar a su lado en aquellos momentos tan duros.

A Gerardo no le gustaba mucho *la Maragota*: la veía falsa. Doña Jacinta era poco natural con él. Quería ser amable, pero no lo conseguía. El joven no quiso decirle a Carmen lo que pensaba para no preocuparla. Por su lado,

—*Un momento, Roquer. Tenemos que hablar.*
—*¿Algo grave?*

Carmen tampoco estaba contenta con su familia, tenía miedo de algo pero no sabía de qué.

Pasado ya algún tiempo, una mañana que iba Gerardo a entrar al pazo, se encontró en la puerta a don Ángel que lo estaba esperando.

—Un momento, Roquer —le dijo—. Tenemos que hablar.

—¿Algo grave? —preguntó Gerardo un poco asustado por aquellas palabras tan serias.

—Grave, grave, no, porque todavía hay tiempo para buscar una solución. Mire, señor Roquer —siguió diciendo don Ángel—, he pensado mucho en este asunto antes de decirle nada. Hace poco que murió el pobre Laureano y la gente... La gente no comprende que usted y Carmen pasen todo el día juntos, estando mi sobrina de luto. Ya sabe cómo es la gente... En seguida hablan mal de todo el mundo.

—Pero, ¿qué tiene que decir la gente? —contestó Gerardo bastante enfadado.

—Sí, tiene usted razón, pero no quiero oír nada malo de mi sobrina. Compréndame, usted, por favor. Creo que debe irse de aquí por el momento y alejarse[48] de Carmen durante algún tiempo. Y por supuesto, no debe usted decirle una palabra a Carmen de esta conversación. Una señorita no debe preocuparse por estos asuntos. Busque otros motivos para marcharse mañana.

Al joven no le parecía bien irse de esa manera, sin embargo no veía otra solución. Así que, por la tarde, Gerardo le dijo a Carmen que tenía que volver a Santiago al día siguiente.

Carmiña sintió frío. Miró con sorpresa a Gerardo y empezó a llorar cuando su novio no supo cómo explicarle por qué debía salir con tantas prisas del pazo.

Gerardo prometía a Carmen una y otra vez que la quería y que, después de dos o tres semanas, iban a encontrarse en Santiago.

—No prometas nada —le contestó Carmiña—. A pesar de que no sabes decirme cuál es la razón de tu marcha, quiero creerte. Pero siento que algo horrible nos va a pasar, que nos está ocurriendo ya.

A la mañana siguiente se despidieron tristemente. Desde el balcón, Carmen lo vio marchar en su caballo en dirección a Sada. Ella, llorando, lo vio parar a cada momento para decirle adiós con la mano, hasta que al fin se perdió en el camino. A su lado, su tía, *la Maragota*, le decía:

—¡Pobre!, se aburría aquí.

Carmen sintió un profundo y vivo dolor en el pecho. «Se aburría», «Gerardo se aburría». Y durante todo el día, aquellas horribles palabras la estuvieron siguiendo: «Se aburría», «se aburría».

Y por la noche, en su cuarto, lloró mucho. Ahora pensaba que los motivos para salir tan deprisa del pazo y que su novio no había sabido explicarle eran sencillamente eso: «se aburría».

Mientras, doña Jacinta, muy feliz y segura de sí misma, cogía un papel y empezaba a escribir una carta a su hijo: *Pues, querido hijo, tienes que saber que todo va muy bien. Hoy se marchó el madrileño...*

***

A Gerardo nunca le había parecido Santiago una ciudad tan horrible y aburrida. No había nadie. La Alameda y la Herradura estaban vacías. En silencio se encontraba también el Casino, pero todavía estaba peor la casa de la Troya. Doña Generosa recibió con sorpresa al madrileño:

−¿Y cómo viene tan pronto? Se va usted a aburrir aquí. Sus amigos todavía no han vuelto de vacaciones.

Gerardo cenó de prisa y se fue en seguida al Casino a tomar café. Solo y triste, desde las ventanas, miraba a las pocas personas que pasaban lentamente por la calle. El aire de la noche le traía a la memoria la historia de sus amores con Carmen y el recuerdo de los felices días pasados a su lado, en las Mariñas de Betanzos. Se cansó pronto de estar en el Casino y volvió a la casa de la Troya.

Toda la noche la pasó Gerardo escribiendo a Carmen. Él mismo, a pesar de no haber dormido nada, fue a llevar la carta al correo para alcanzar el coche de las doce. Y después, lo vio salir en dirección a aquellas queridas tierras donde Carmiña esperaba sus noticias.

Pero esa carta no llegó nunca a manos de Carmen, y tampoco otras muchas que escribió el estudiante.

—¡Está tan mal ahora el correo...! —le decía doña Jacinta a su sobrina.

—No tía, Gerardo se aburría aquí conmigo —contestaba la pobre Carmiña—. No tenía otro motivo para irse.

—Él tiene veintitrés años. Ponte en su lugar: vino al pazo a pasar el verano y, en lugar de divertirse, se encuentra con la muerte y la casa llena de personas tristes. Éste no era un sitio para un rapaz como él. Además, seguro que, como te dijo, tenía cosas que hacer en Santiago.

—No, no, Jacinta; no busque usted más disculpas que no son ciertas. Prometió escribirme todos los días y todavía no he recibido ninguna carta —contestaba la joven.

—¡Ay!, ya no sé que decirte. A mí ese rapaz no me interesa, la que me interesa eres tú. Perdóname si te hago daño con mis palabras. Pero yo no lo hago para preocuparte más, sino para sacarte esa pena que tienes dentro.

Se iba doña Jacinta escondiendo su alegría. Y Carmiña volvía a quedarse sola, sintiendo cada vez más profundo su dolor; ese dolor que había despertado en su corazón el día que, como la cosa más normal del mundo, su tía le dijo que Gerardo se aburría en el pazo. Y así, un día y otro día, con estas conversaciones y otras parecidas, *la Maragota* convencía a Carmen de que el amor que Gerardo sentía por ella era muy débil.

VIII

LLEGÓ octubre y, con él, el nuevo curso. En Santiago de Compostela, la vida volvió a ser como antes del verano, con todos los estudiantes otra vez en la ciudad.

Hacia el día quince apareció Samoeiro en la casa de la Troya con un traje nuevo y un abrigo moderno.

—¡Eh, chicos! —dijo a sus compañeros después de saludarlos y de contar sus últimas aventuras—. ¿Sabéis que esta noche abren el teatro? Hay unas coristas estupendas que vienen de Madrid. A una de ellas la llaman *la Mañitas* y dice que te conoce, Gerardo.

—Pues no sé, chico, si la he visto alguna vez, ahora no me acuerdo —contestó el madrileño sin interés.

—¡Vayamos esta noche a verlas! —propuso Madeira.

Los estudiantes de la Troya no dudaron nada y esa misma noche se presentaron a la salida del teatro para saludar a *la Mañitas* y a sus amigas. Poco después, estaban todos juntos en la taberna de *Pepe el Masón* donde los jóvenes invitaron a cenar a las coristas.

Tomaron tortilla y unos pollos, y acabado el postre, *la Mañitas* y cuatro chicas más empezaron a cantar y a bailar. Todos estaban muy alegres y el vino corría de vaso en vaso.

A Madeira, que había bebido mucho, le entraron ganas de cantar y empezó entonces una cancioncilla gallega. Pero lo hacía tan mal que pronto todo el mundo empezó a protestar.

—¡Cállate, Madeira! —le dijo Manolito—. Que tienes una voz horrible.

Y antes de poder terminar estas palabras, Madeira le había tirado una de las botellas de vino vacía que tenía delante. Por suerte, la botella no alcanzó la cabeza de Manolito, pero salió por la ventana, que estaba abierta, y se rompió en mitad de la calle. Gritaron asustadas las mujeres y el ruido fue tan grande que pronto apareció la policía en la taberna. Así, la fiesta terminó en la comisaría donde todos nuestros amigos pasaron aquella noche.

Al día siguiente, los periódicos de la ciudad hablaban del asunto. Todo Santiago sabía que los estudiantes de la casa de la Troya habían salido a divertirse con las chicas del teatro y que habían dormido en la cárcel.

Hasta el pazo de los Castro llegaron muy pronto estas noticias. No tuvo Jacinta que contar nada. La misma Carmiña enseñó a su tía un número de un periódico de Santiago, que encontró «por casualidad» olvidado en el salón.

—Y ahora, ¿qué me dice usted?

—¿Qué pasa, mujer? —preguntó doña Jacinta con falsa sorpresa.

—¿Es que no ha leído el periódico? Mire esto... Gerardo ha vuelto a su antigua vida.

–Pues es la primera noticia que tengo –mintió doña Jacinta–. ¿Quién iba a pensar algo así de él? ¡Un rapaz tan simpático, que parecía tan bueno...! ¿Y dices que esa chica que lo acompañaba había sido su novia en Madrid?

–Eso es lo peor, Jacinta; él estaba enamorado de esa mujer, y su padre lo envió a Santiago para alejarlo de ella. Y ahora que no puede ir a Madrid se la trae aquí.

Carmen empezó a llorar, como todos los días desde hacía dos meses.

–¡Ahora déjeme, por favor! ¡Quiero estar sola!

Doña Jacinta dejó a Carmen en su cuarto. Después de pensarlo unos momentos, la muchacha sacó de su armario una cajita donde guardaba las cartas de Gerardo e hizo un paquete con ellas. Cogió un papel y temblando escribió estas palabras tan tristes como su corazón:

Gerardo, le devuelvo a usted sus cartas y le pido que me mande las mías.

Metió el paquete y la carta en un gran sobre, lo cerró y lo envió en seguida.

***

Aquél fue un mal día para Gerardo. Además de la carta de Carmen, recibió otra de su padre que, enfadadísimo por su vuelta a la mala vida, le decía unas durísimas palabras. Sin duda, don Ventura se lo había contado todo.

En seguida, Gerardo escribió una carta a su padre y otra a Carmiña contándoles a los dos la verdad de su negra aventura. En ellas les prometía que esa mujer, *la Mañitas*, estaba muerta en su recuerdo; que la única a la que quería, era a Carmen.

Pero la carta que envió a las Mariñas de Betanzos le fue devuelta sin abrir. Entonces, el joven decidió ir al pazo para hablar con Carmen. Sin embargo, mucho antes que el mismo Gerardo, le llegó a *la Maragota*, desde Santiago, la noticia del viaje que nuestro joven amigo pensaba hacer.

Así que, cuando Gerardo apareció en el Pazo de Castro, la misma doña Jacinta salió a recibirlo. Pasaron al salón que él tan bien conocía. El corazón quería salírsele del pecho y sin más palabras pidió ver a Carmiña.

Doña Jacinta le contestó amablemente que iba a avisar a su sobrina. Después de un rato, volvió con cara triste y preocupada.

—¿Qué ocurre? —preguntó nervioso Gerardo.

—Nada. Ya sabe que los asuntos de novios no tienen mucha importancia...

—Pero, ¿qué dice Carmiña?

—Carmen dice... Bueno, yo la he intentado convencer, pero usted ya sabe cómo es ella. Está muy enfadada y me ha dicho que no quiere verlo.

—¡Imposible!

—Pero, ¿es que piensa que yo le iba a mentir a usted?

–No, no es eso. Yo hablo de Carmen. ¿Cómo puede ser? Tengo que verla.

–Lo siento, hijo, pero no se la puede convencer. Dice que no y no, y no le saco otra palabra.

–Pero es que yo necesito hablar con ella... Está bien –contestó Gerardo después de un silencio–. Si así lo quiere, me marcharé. Tenía tantas cosas que decirle. Yo no tuve la culpa de lo que pasó aquella noche, pero ya es inútil explicarlo: es demasiado tarde. ¡Adiós, doña Jacinta!

El joven dio la mano a *la Maragota* y se despidió de ella. En cuanto la puerta del pazo se cerró detrás del joven, una enorme sonrisa apareció en la cara de doña Jacinta.

–¡Viva! ¡Viva! Ahora ¿qué?, madrileño –decía más alegre que nunca *la Maragota*–. ¿Qué pensabas, pobre tonto, que soy idiota? Pues ya he conseguido alejarte de mi sobrina para siempre. Ahora todo su dinero se quedará aquí, en mi casa. Y Carmen se casará con mi hijo Octavio y no contigo.

***

En el pazo nadie supo que Gerardo había estado allí, porque doña Jacinta tuvo buen cuidado de esconder aquella visita. Aquel día, su sobrina había estado al otro lado de la ría, bien lejos del pazo; y el estudiante se había ido enfadadísimo... Así que toda aquella historia de amor era ya nada.

–¿Qué dices Tona? No te entiendo. ¿Quién vino?
–Pues el señorito Gerardo. ¿Quién si no?

Sólo que... Pocas tardes después, se encontraba Carmiña colocando unas flores en la iglesia de Tatín, mientras que la criada hablaba en el patio con unas mujeres del pueblo, cuando Tona, la dueña de la fonda, se acercó a saludarla amablemente:

—Así que... el otro día vino el señorito a visitarla al pazo. Pues mucho la quiere a usted si viene desde tan lejos sólo para verla.

—¿Qué dices Tona? No te entiendo. ¿Quién vino?

—Pues el señorito Gerardo. ¿Quién si no?

Sintió Carmen que el corazón quería salirse de su pecho y tuvo que sentarse en un banco para no caer al suelo.

—¡Por Dios, Tona, dime la verdad! ¿Cuándo estuvo aquí?

—Señorita, estuvo el miércoles. Ya lo sabe usted.

—¿Estás segura, Tona?

—Claro que sí, Carmiña. Vino el miércoles. Paró un momento en la puerta de la fonda para preguntarme si estaban ustedes en el pazo. Yo le contesté que sí y hacia allí lo vi marchar.

—¡Gracias, gracias! Pero ahora vete; que no nos vean hablar. Y por favor, no le digas a nadie que viste a Gerardo ni que has hablado conmigo de esto.

Tona se fue y Carmen se quedó allí sentada, cerrados los ojos para ver y comprender mejor: Gerardo había estado en el pazo. Eso era seguro. ¿A qué fue? ¿Quién lo recibió? ¿Por qué no le habían dicho nada? Fue el miércoles...

El día anterior su tía había tenido mucho interés en sacarla de la casa. Su tío la había convencido para acompañarlo a ver al cura Sampayo, su viejo amigo. Ella no tenía muchas ganas, pero entre su tío y su tía lo habían preparado todo y ese miércoles prontito había salido con su tío y la criada al otro lado de la ría.

Lentamente la iglesia se estaba quedando a oscuras. Sólo una lamparita de aceite encendida en uno de los rincones, y que daba luz a una Virgen, rompía las sombras de la tarde que caía.

La criada la despertó tocándola suavemente.

—Señorita: es tarde —le dijo—. Se va a hacer de noche.

Carmen se levantó y salió en silencio de la iglesia.

En cuanto llegó a la casa, fue hacia su habitación. Tenía mucho en qué pensar.

—¿Vienes mala? —le preguntó *la Maragota*, cuando vio a la joven muy seria y pálida.

—Me duele un poco la cabeza. Cosa de nada. Un poco de oscuridad y silencio y se me pasará.

—¿Os habéis encontrado a alguien? —preguntó doña Jacinta a la criada, una vez solas.

—No, a nadie.

En su habitación, sentada al lado del balcón, Carmiña empezaba a verlo todo más claro: Gerardo había ido al pazo a pedirle perdón, a decirle que la quería. ¿A qué si no? Pero su familia no le había dicho nada, ¿por qué? De repente comprendió por qué no le había llegado ninguna carta de Gerardo, y por qué oscuros motivos no volvían a Santiago. Tenía que pensar urgentemente un plan para salir de allí. No iba a ser fácil. Sobre todo, sus tíos no debían darse cuenta de que ella lo sabía todo. Debía esperar el mejor momento para marcharse.

A partir de entonces, Carmen se dejó llevar por donde sus tíos querían. Volvió a hablar con la gente y parecía estar un poco más alegre. Y así pasaron lentos e iguales los días en el pazo, hasta que una mañana de febrero, don Angelito llamó a Carmiña a su cuarto para darle una carta de Octavio.

—Carmen —le dijo—, aquí tienes la carta de un buen muchacho que se quiere casar contigo. Yo no puedo darle una respuesta por ti. Debes contestar tú. Pero tienes que saber que tu primo está enamorado de ti desde hace mucho tiempo. Así que piénsalo bien y decide.

—Comprenderá usted que la sorpresa... ahora...

—Tómate tu tiempo. No tienes que contestar en este momento.

Carmen estuvo todo el día pensando qué hacer. Quería volver a Santiago sin más retraso, irse del pazo, donde se sentía como en una cárcel. Y entonces tuvo una idea: esa carta podía servirle para salir de allí.

Esa misma noche, durante la cena, Carmiña, más segura de sí que nunca, explicó a sus tíos:

—Mi padre ha muerto y la única familia que me queda son ustedes. Por eso yo, antes de contestar a Octavio, quiero pedir consejo a don Dámaso, el cura, y a don Ventura, que tan amigo fue del pobre papá.

La Maragota se movió nerviosa en su silla y dijo a Carmiña:

—Nadie debe decidir por ti. Además, ¿cómo vas a hacer venir a esos señores al pazo con este tiempo?

—¡Dios mío! ¿Quién piensa eso? Iremos nosotros —contestó Carmen.

—¿A Santiago? —preguntó doña Jacinta asustadísima—. Yo no veo necesario ir hasta allí.

—¿Y por qué no?

La Maragota no sabía qué decir. Era peligroso ir a Santiago, pero no podía decirle que no. Su sobrina se podía dar cuenta de sus planes. De todas maneras ella quería saber si la joven tenía algún otro motivo para ir a Santiago.

—¿Y si Gerardo quiere verte? —le preguntó.

—Ese hombre está muerto para mí. Me ha hecho mucho daño. No vuelva usted a repetir su nombre delante de mí, por favor.

—Tienes razón; no fue bueno contigo.

De esta manera se acabó la conversación y doña Jacinta no pudo hacer otra cosa que dejarse convencer. Así que a la mañana siguiente empezaron a preparar las maletas y dos días más tarde salieron para la ciudad.

Llegaron muy temprano y en seguida fueron a la Catedral para ver a don Dámaso. Un rato largo tuvieron que esperar sentadas en un banco entre un grupo de mujeres.

Cuando por fin llegó el cura, Carmen se acercó sola a hablar con él.

–Hija mía –le dijo don Dámaso–. ¡Cuánto tiempo sin verte! He sentido mucho la muerte de tu padre. Era un hombre tan bueno... Pero dime, ¿qué te trae por aquí?

–¡Por Dios, don Dámaso, ayúdeme! –dijo Carmen llorando.

Y la joven le contó entonces todo lo que había pasado durante los últimos meses.

IX

Después de la visita al pazo, Gerardo creía que todo estaba perdido: muerto el amor de Carmen y muerta su alegría. Al principio estuvo unos días como loco y hablaba de quitarse la vida. Pero cuando pudo pensar ya más tranquilamente, se preguntaba cómo toda su felicidad podía terminar de aquella manera.

Sus amigos le decían que la tía de Carmen no era una buena persona.

–Seguramente *la Maragota* tiene la culpa de todo –le explicaba Augusto–. Piensa un poco, Gerardo: la señorita Castro Retén es guapa y rica; Octavio está enamorado de ella o de su dinero o de las dos cosas; su señora mamá quiere lo mejor para su hijo. Por eso te han alejado de ella. Mi consejo es que esperes. Carmen es lista y pronto se dará cuenta de lo que doña Jacinta intenta hacer.

La mañana que Carmen llegó a Santiago, Gerardo estaba en la cama, cuando doña Generosa entró en su habitación gritándole alegremente:

–¡Don Gerardo, despierte! ¡Le traigo una buena noticia!

–¿Qué ocurre? ¿Qué hora es? –contestó el joven todavía con los ojos cerrados.

–¡Arriba! ¡Arriba! Le voy a dar una noticia que le va a gustar.

–¡Diga, diga!

–¡Que está aquí, en Santiago! ¡La señorita Carmen! La he visto en la Catedral con su tía.

El estudiante se vistió rápidamente y salió hacia la Catedral donde, durante un buen rato, estuvo buscando por todos los rincones, sin encontrar en ninguna parte a la joven.

Después fue a la calle de la Senra, a la casa de Carmen, que estaba cerrada y en silencio; y más tarde a la Rúa Nueva, donde vivían *los Maragotas*. Llamó a la puerta una y otra vez, pero no le abrieron.

Muchas más veces paseó Gerardo delante de las casas esperando ver en aquellas ventanas y balcones a su querida Carmiña, pero todo fue sin éxito.

Dos días después de la llegada de la joven a Santiago, la casa de *los Maragotas* apareció también cerrada. Se habían marchado a El Faramello.

–¡Esto es demasiado! ¡Ahora se la llevan a un pueblecito para tenerla más guardada! –dijo Gerardo–. Amigos, tenemos que hacer algo.

Todos los estudiantes estaban sentados en la escalera de la casa de la Troya charlando sobre el asunto cuando, de repente, se abrió la puerta: era Rafael, otro compañero.

–Carmen no está con *los Maragotas* –dijo–. No ha ido a El Faramello. Hace muchos días que no vive con sus tíos.

—¿Qué dices? ¿Desde cuándo? ¿Dónde está? —preguntó Gerardo nervioso.

—Lo único que sé es que Carmen no está en casa de sus parientes y que éstos están muy enfadados. La señorita Carmen se ha ido de casa sin el permiso de sus tíos. A la criada le han prohibido que hable contigo o con tus amigos.

—Entonces, ¿cómo te ha contado esto?

—Porque no hablé con la criada, sino con una amiga de ésta, que lo sabe todo.

«¡Quizás está en el pazo...!» —pensaron los muchachos, y aquella misma noche, Gerardo, Barcala y Madeira salieron en el coche de las ocho hacia el Outeiro; pero dos días más tarde estaban otra vez de vuelta en Santiago. Carmen no había vuelto al pazo desde que salió de allí con sus tíos.

Tona contó al madrileño su conversación con la señorita Castro en la iglesia de Tatín, lo que por un lado, puso contento a Gerardo, pero por otro, lo preocupó todavía más.

Los estudiantes de la Troya buscaban a Carmen por todas partes sin poder encontrarla. Las amigas de la joven tampoco tenían la menor idea de dónde podía estar.

Pasaron los días sin noticia alguna, hasta que una mañana, mientras iba Gerardo camino de la universidad, se encontró a su amigo Adolfo Pulleiro.

—¡Gerardo!, la he visto —le dijo—. Y además, he hablado con ella.

—¡Pronto! ¿Dónde está? ¡Dime!

—En el convento[49] de la Purísima. Fui con don Timoteo, el médico, a visitar a una monja[50] que está enferma y allí me la encontré.

—¿Cómo está? ¿Qué hace? ¿Te ha preguntado por mí?

—¡Tranquilo, hombre! Vamos hacia la universidad y mientras te lo cuento todo.

—¿Quién piensa en clase o en libros en un día tan importante como el de hoy?

—Déjame hablar un momento. La saludé y le dije que la estabas buscando como un loco por todo Santiago. Ella se puso muy contenta. Pero no pudimos hablar más porque se nos acercó una monjita.

—¿Tienes que volver hoy al convento? —preguntó Gerardo.

—Sí, esta tarde con don Timoteo.

—Llévame contigo.

—¡Imposible! Entiéndelo, tú no eres estudiante de medicina. ¿Y cómo le explico yo a don Timoteo que vienes conmigo? Lo que sí puedo hacer es llevarle a Carmen una carta tuya.

—No, yo quiero verla. Necesito hablar con ella hoy mismo, ahora mismo. Por favor, Pulleiro, sé bueno; vamos al convento...

—No puede ser, Gerardo, créeme.

—Bueno, si no quieres hacerme este favor, me voy ahora mismo a casa a escribir la carta.

Cada uno de los jóvenes se fue por un camino. Pulleiro bajó la calle hacia la universidad y Gerardo volvió corriendo a la casa de la Troya. Allí, en vez de escribir la carta, fue al cuarto de Pulleiro, cogió su pequeña maleta de médico y salió hacia el convento.

–Soy un estudiante de don Timoteo que vengo a ver a la enferma –dijo a la monja que le abrió la puerta.

–Pero usted no estuvo antes aquí –protestó la mujer.

–No, señora. Yo estaba en el hospital con el doctor don Maximino Teijeiro; don Timoteo me ha mandado venir ahora.

Las explicaciones de Gerardo convencieron a la monja, que lo invitó a entrar. Dentro del convento había un gran silencio. Subieron la escalera, que estaba al lado de un pequeño jardín, y llegaron a un largo pasillo; a la derecha y a la izquierda había muchas puertas, sin duda, las habitaciones de las monjas.

Gerardo no había estado nunca tan nervioso. Detrás de una de aquellas puertas estaba su queridísima Carmiña, pero, ¿de cuál? No le pareció bien preguntárselo a la monja, y empezó a toser[51] fuertemente pensando que quizás Carmiña podía oírlo desde su cuarto.

–¿Está usted constipado[52]? –le preguntó con interés la monjita–. Con este tiempo de lluvia y frío es natural.

–No, no es constipado –contestó el estudiante hablando a voces–; es tos nerviosa.

–¡Pobrecito! ¿Y no puede tomarse algo?

–Para esta tos sólo hay una medicina que yo conozco...

En el cuarto de la enferma, otra monja sentada en una silla baja, a los pies de la cama, leía un libro.

—No se ha movido desde que se fue don Timoteo —le dijo a Gerardo.

—Muy bien —contestó éste—. Si tienen ustedes cosas que hacer, pueden irse tranquilas. Yo me quedo con ella. Por ahora todo está bien. Si necesito algo, llamaré.

Cuando salieron, las monjas cerraron por fuera. Gerardo, desde la puerta, estuvo tosiendo y tosiendo hasta hacerse daño, pero en el pasillo nadie contestó a su llamada.

De pronto, detrás de él, oyó unos gritos: era la enferma que empezaba a despertarse.

—Y ahora, ¿qué hago yo? —se dijo el estudiante.

Los gritos eran cada vez más fuertes y Gerardo no sabía qué hacer. Entonces entró una monja en el cuarto.

—¿Por qué grita? —preguntó asustada—. ¿No le da algo usted?

—Sí, sí.

Y Gerardo, temblando, abrió la maleta de Pulleiro y cogió la primera medicina que encontró. Por suerte, en ese momento se presentó en el cuarto el mismo Pulleiro.

—¡Cómo he corrido! Pero llego a tiempo. Es un caso complicado, ¿eh, compañero? Y difícil. ¿Puede traerme un café calentito, por favor? —preguntó después a la monja—. Es que está lloviendo muchísimo y estoy completamente mojado.

Cuando ésta salió dijo a Gerardo:

—Pero, ¿tú estás loco? Cuando llegué a casa y no encontré mis cosas, salí en seguida para el convento. Bueno, ahora recoge y vete en seguida.

—No, yo no salgo de aquí sin ver a Carmen.

—Pero, ¿qué le vamos a decir a don Timoteo si viene?

—No lo sé, pero yo no me voy.

Pulleiro no lo pudo convencer y Gerardo se quedó allí con él mientras se ocupaba de la enferma.

—¿Y cómo vamos a hacer para ver a Carmen? —preguntó Adolfo cuando terminó.

—¡Ya está! —contestó Gerardo—. Tengo una idea: salimos al pasillo, yo me pongo en un lado y tú en el otro y luego me llamas desde allí por mi nombre y apellidos con voz fuerte.

Y así lo hicieron. Entonces, después de unos minutos, y muy despacito, se empezó a abrir una de aquellas puertas: detrás de ella apareció Carmiña Castro Retén, completamente vestida de negro y pálida, pero con una sonrisa de sorpresa y felicidad en su cara.

—¡Gerardo! ¡Estás aquí!

—¡Carmiña! ¡Soy el mismo de siempre!

—¡Y yo! Sabes... ¡Lo he pasado tan mal!

Carmen empezó a llorar.

—¡No llores, por favor! Pensé que no te iba a volver a ver. Te explicaré todo. No te he olvidado, créeme.

—¡Sí, te creo! Quiero creerte; necesito creerte. Pero lo que pasó aquella noche con tu antigua novia...

–¡No, Carmiña! ¡No, no y no! Entre ella y yo no pasó nada. Todo eso es falso. Una sucia mentira. Créeme, por favor.

–Sí, Gerardo.

Y quitándose uno a otro la palabra, en una nerviosa y viva conversación, ordenaron la historia de aquella gran mentira, contándose el uno al otro todas las cosas que habían vivido.

–Desde que viniste a Santiago, te he buscado por todas partes.

–Lo sé. Ahora no te preocupes por nada. Don Dámaso me ha ayudado. Mi familia no puede sacarme del convento, aquí estoy segura. Sólo saldré para casarme contigo... o aquí me quedaré para toda la vida.

–¡Saldrás, saldrás! Y muy pronto. Hoy mismo escribiré a mi padre para decirle que nos casamos. ¿Podré visitarte aquí?

–No sé. Habla con don Dámaso. Ahora vete. Lo que sí puedes hacer es escribirme. Ya nadie me puede robar tus cartas.

–Te escribiré todos los días.

–Yo también lo haré. ¡Adiós, Gerardo, no me olvides!

–¡Adiós, adiós! –dijo Gerardo.

Carmen se metió de nuevo en su cuarto y cerró la puerta. Gerardo, más feliz que nunca, dio las gracias al amigo que tanto lo había ayudado.

–Gracias, Pulleiro –dijo abrazándolo fuertemente–. Gracias, amigo, y perdóname, pero tenía que ver a Carmiña. Y ahora mismo me voy a escribirle una carta.

X

Los días que siguieron fueron maravillosos para nuestros felices amigos. Se escribían larguísimas cartas y algunas veces Gerardo, acompañado de don Dámaso, iba a visitar a Carmiña.

Por las noches, Gerardo, Barcala, Augusto, Samoeiro y otros tres o cuatro amigos más, iban a cantar y a tocar las guitarras debajo de los balcones de una casa que estaba al lado del convento. Así Carmen podía oírlos.

Gerardo estudió más que nunca para acabar el curso sin problemas y en los primeros días de junio los estudiantes tuvieron los exámenes. Los amigos de la casa de la Troya estaban muy contentos de terminar sus estudios y la última noche salieron juntos a cenar a la taberna de Blanca, donde, después de los postres, no faltaron las canciones y las bromas.

—¡Adiós a los felices años de estudiantes! —decían—. Ahora tendremos que empezar a trabajar. Unos seremos médicos, otros abogados, otros periodistas... Se acabaron nuestras salidas y fiestas, porque nunca más, ¡ay amigos!, seremos estudiantes.

***

Dos días después, en la iglesia del Pilar, don Dámaso casó a la señorita Carmen Castro Retén y a don Gerardo Roquer y Paz.

Don Juan, el padre del joven, lloraba en silencio. Allí estaban también doña Segunda y toda la familia de don Ventura; y sentados en los bancos del final, se encontraban todos los amigos de la Troya.

Los invitados pasaron un día muy agradable con los novios. Y aquella misma noche, los dos cogieron un coche de caballos y se fueron de viaje hacia las Mariñas de Betanzos. ¿Y dónde mejor?

Carmen no quería viajar al extranjero, prefería ir al pazo, y Gerardo no le podía decir que no. Porque, ¿qué valen París, Londres, Viena y todas las ciudades del mundo juntas, si pensamos en esa tierra única, hecha para los enamorados?

SOBRE LA LECTURA

Para comprobar la comprensión

I

1. ¿Por qué viaja Gerardo a Santiago de Compostela? ¿Qué va a hacer allí?
2. Una vez en Santiago, ¿cómo se siente Gerardo? ¿Cómo es la universidad?

II

3. ¿Qué le ocurre a Gerardo una tarde en que, muy triste, estaba sentado en un banco del paseo del Hórreo?
4. ¿Qué le propone Augusto Armero a Gerardo para acabar con su tristeza?
5. ¿Cómo es el ambiente en la casa de la Troya?

III

6. ¿Qué hace Gerardo cuando, una tarde volviendo de su paseo por el Hórreo, ve a unos jóvenes que llevan de una cuerda a un anciano? ¿Qué ocurre después?
7. ¿Qué dice la carta que le envía su padre a Gerardo?
8. En casa de don Ventura Lozano hay una pequeña fiesta de cumpleaños. ¿Se divierte Gerardo en ella? ¿Por qué?
9. Después de la fiesta, ¿qué piensa Gerardo de Carmen Castro? ¿Siente algo por ella?

IV

10. *¿Cómo responde Carmen a las cartas de amor que le escribe Gerardo?*

11. *¿Qué siente Gerardo entonces?*

12. *Y después de encontrarse, por casualidad, con Carmen y doña Segunda, ¿se siente mejor Gerardo? ¿Por qué?*

V

13. *Cuando Gerardo le dice a Carmen, en el baile, que la quiere, ella no lo cree. ¿Qué tiene que hacer Gerardo para probarle que su amor es auténtico?*

VI

14. *Gerardo consigue aprobar todos los exámenes del curso. ¿Le dice Carmen por fin que ella también lo quiere? ¿Por qué?*

15. *¿Cómo se siente Gerardo en Madrid? ¿Qué piensa ahora de sus antiguos amigos?*

16. *¿Quiere Carmen a Gerardo? ¿Por qué no le había dado una respuesta antes?*

17. *¿Cómo viven Carmen y Gerardo los días que pasan juntos en las Mariñas de Betanzos?*

VII

18. *¿Qué hecho trágico rompe la felicidad de Carmen y Gerardo en las Mariñas de Betanzos?*

19. *¿Por qué se marcha Gerardo del Pazo de Castro?*

20. *¿Qué hace la Maragota para convencer a Carmen de que Gerardo no la quiere?*

VIII

21. *¿Qué ocurre la noche que los estudiantes de la casa de la Troya salen con las coristas de Madrid?*

22. *¿Cómo se entera Carmen de lo ocurrido? ¿Qué hace entonces?*

23. *Gerardo viaja al Pazo de Castro para ver a Carmen. ¿Consigue hablar con ella? ¿Por qué?*

24. *¿Qué piensa Carmen cuando Tona le cuenta que Gerardo ha estado en el pazo?*

25. *Carmen está decidida a volver a Santiago, pero debe hacerlo sin que sus tíos se den cuenta de que ella ha descubierto sus planes. ¿Cómo lo hace?*

IX

26. *Según cuenta Rafael, ¿está Carmen en El Faramello con sus tíos? ¿Está en el Pazo de Castro? ¿Saben dónde está?*

27. *Finalmente, ¿dónde se encuentra Carmen? ¿Consigue Gerardo verla? ¿Cómo?*

28. *¿Siguen Gerardo y Carmen enamorados?*

X

29. *¿Tiene esta historia un final feliz? ¿Cómo termina?*

Para hablar en clase

1. *En esta historia, Gerardo, gracias a sus compañeros de la casa de la Troya y al amor de Carmen, cambia de forma de vida: pasa de ser un joven que sólo piensa en divertirse y en gastar dinero, a ser un buen estudiante. ¿Cree usted que esto puede ocurrir en la vida real? ¿Qué circunstancias cree usted que pueden cambiar el carácter y la forma de ser de una persona?*

2. *¿Ha vivido usted, como Gerardo, durante algún tiempo en una residencia de estudiantes? ¿Le gustó? ¿Por qué? Si nunca ha vivido en una, ¿le gustaría hacerlo?*

3. *¿Le gustan las historias de amor como ésta, con un final feliz? ¿Por qué? ¿Qué tipo de novelas prefiere? ¿De aventuras, de ciencia ficción, policiacas, históricas, etc.? ¿Por qué?*

4. *¿Ha estado alguna vez en Santiago? Si no lo conoce, ¿le gustaría ir? ¿Por qué? ¿Conoce otros lugares de Galicia?*

5. *Santiago de Compostela ha sido, y es aún, lugar de peregrinación de miles de personas que desde Roncesvalles (el camino navarro) o desde el puerto de Somport (el camino aragonés) entraban en España y atravesaban las tierras de Navarra, La Rioja, Burgos, Palencia, León y Lugo hasta llegar al sepulcro del apóstol Santiago. ¿Le gustaría a usted recorrer el Camino de Santiago como un peregrino más? ¿Por qué? ¿Cómo? ¿A pie, al modo tradicional? ¿O en bicicleta o en coche?*

NOTAS

Estas notas proponen equivalencias o explicaciones que no pretenden agotar el significado de las palabras o expresiones siguientes sino aclararlas en el contexto de *La casa de la Troya*.

m.: masculino, *f.:* femenino, *inf.:* infinitivo.

La casa de la Troya: Alejandro Pérez Lugín tomó como título para su obra el nombre de una famosa casa de estudiantes que existía en Santiago de Compostela, en la calle de la Troya, y en la que viven los estudiantes de su novela. En la actualidad, **la casa de la Troya** es un museo donde se conservan tanto la arquitectura típica de las casas compostelanas como los muebles y utensilios de finales del siglo XIX y principios del XX.

farol

1 **se había enamorado** (*inf.:* **enamorarse**): había empezado a sentir amor.

2 **corista** *f.:* mujer que se dedica a cantar y a bailar en el teatro, en un espectáculo musical.

3 **carrera** *f.:* conjunto de los **cursos** (tiempo del año en que los alumnos asisten a clase) que constituyen un determinado estudio universitario.

4 **faroles** *m.:* aparatos que sirven para iluminar las calles por la noche.

5 **fondas** *f.:* casas donde los viajeros podían dormir y comer por poco dinero.

Catedral de Santiago

6 **Catedral** *f.:* la iglesia más importante de una ciudad en tamaño y categoría. La **Catedral** de Santiago de Compostela se construyó entre los siglos XI y XII y es la principal muestra del románico hispánico, aunque en el siglo XVIII se añadió una estructura barroca que recubre el edificio.

7 **criada** *f.:* mujer que trabaja en casa de otras personas y recibe por ello dinero, comida y cama.

8 **bedel** *m.:* persona que en las universidades y otros centros de enseñanza se encarga de mantener el orden fuera de las clases, de anunciar a los alumnos la hora de entrada y salida, etc.

9 **usted:** en la época en que se sitúa *La casa de la Troya* (siglo XIX) este pronombre personal, fórmula de tratamiento formal, era más utilizado que en la actualidad. Así, se empleaba entre profesores y alumnos; entre personas desconocidas, aunque tuvieran la misma profesión, el mismo nivel jerárquico o la misma edad; y también entre jóvenes de diferente sexo (situaciones en las que actualmente se usa «tú»).

10 **discurso** *m.:* exposición sobre un tema que se pronuncia en público.

11 **hórreo** *m.:* construcción de madera o piedra, típica de Galicia y Asturias, que se levanta sobre cuatro pilares y sirve para guardar el grano y otros productos agrícolas (paja, patatas, maíz, etc.).

hórreo

12 **vestida de luto:** vestida de negro, como manifestación externa del dolor que se siente por la muerte de una persona querida. Además, durante el tiempo que se está **de luto**, se guardan ciertas normas sociales como el no celebrar fiestas ni buscar otros medios de diversión.

13 **cursi:** que quiere ser muy refinado y elegante, pero resulta ridículo y poco natural.

14 **gitana** *f.:* mujer de cierta raza de vida nómada (que no tiene un sitio fijo para vivir) posiblemente originaria de la India, que se extendió en épocas muy distintas por Europa y otros lugares.

Virgen

15 **limosna** *f.:* dinero que se da a los pobres para ayudarlos.

16 **rezaré** (*inf.:* **rezar**): me dirigiré a la **Virgen** (ver nota 17) o a Dios, oral o mentalmente, para pedirle algo.

17 **Virgenciña** *f.:* Virgencita, Virgen, es decir, en la religión católica, madre de Dios. Para la forma y el valor del diminutivo, ver nota al pie de la página 12.

monedas

18 **rapaza** *f.:* palabra muy utilizada en Galicia por niña, chica, muchacha.

19 **monediña** *f.:* monedita, moneda, es decir, pieza de metal, generalmente redonda, a la que se reconoce determinado valor y se utiliza como medio de pago (dinero).

20 **caballero** *m.:* hombre que se comporta con elegancia, amabilidad y nobleza.

tuna

cuerda

21 **por respeto**: en atención, por consideración o cortesía hacia una persona que lo merece.

22 **morriña** *f.*: tristeza que una persona siente, sobre todo cuando está lejos de su tierra o de sus familiares.

23 **tuna** *f.*: grupo de estudiantes universitarios que, vestidos con trajes antiguos, van cantando y tocando instrumentos por las calles, restaurantes y otros lugares. En la actualidad, en casi todas las universidades de España sigue habiendo grupos de estudiantes que pertenecen a la **tuna**.

24 **ha empeñado** (*inf.*: **empeñar**): ha dejado un objeto de valor como garantía de un préstamo, es decir, de una cantidad de dinero, siendo posible recuperarlo al entregar otra vez el dinero prestado.

25 **pazo** *m.*: en Galicia, casa grande de familias nobles, generalmente en el campo.

26 **taberna** *f.*: bar típico donde se sirven vino y otras bebidas, y, a veces, también comidas.

27 **cuerda** *f.*: conjunto de hilos que, juntos y retorcidos, forman uno solo más grueso.

28 **Juez** *m.*: miembro del tribunal de justicia que tiene poder para decidir si un acusado es o no culpable.

29 **cumpleaños** *m.*: día en el que se celebra el aniversario del nacimiento de una persona.

concha

30 **dándole serenatas:** cantando y tocando instrumentos musicales, normalmente por la noche y al aire libre, en honor de alguien.

31 **Maragota:** sobrenombre que los estudiantes de la casa de la Troya dan a la tía de Carmen Castro, por comparación con un tipo de pez que tiene el mismo nombre y que es propio del Atlántico Norte.

32 **éxito** *m.:* buen resultado.

33 **devolvió** (*inf.:* **devolver**): dio algo a la persona de quien lo había recibido.

34 **Casino** *m.:* club, lugar donde las personas se reúnen para hablar, jugar, leer, etc.

35 **concheiros** *m.:* personas que, antiguamente, vendían conchas a los **peregrinos** (ver nota 37) que iban a visitar el **sepulcro del apóstol Santiago** (ver nota 38). Las conchas (*f.*) son las cubiertas duras que protegen las partes blandas de los moluscos. La concha de la vieira, molusco muy común en las costas de Galicia, es el símbolo de los **peregrinos**, ya que se las cosían a la ropa cuando volvían de Santiago de Compostela. Por eso, también se llamaba **concheiros** a los **peregrinos**.

peregrino
de Santiago

36 **hospital** *m.:* antiguamente, lugar donde se recogía a los pobres y a los **peregrinos** (ver nota 37) por un tiempo determinado.

37 **peregrinos** *m.:* personas que viajan a un lugar sagrado por motivos religiosos.

38 **sepulcro del apóstol Santiago** *m.:* lugar donde descansa el cuerpo del **apóstol Santiago**. Actualmente, sus restos se encuentran guardados en una caja de plata, en la cripta de la **Catedral** de Santiago de Compostela (ver nota 6). El **apóstol Santiago** fue uno de los doce **apóstoles**, discípulos o seguidores de Jesucristo que predicaron el Evangelio. Según la tradición, a la muerte del **apóstol**, su cuerpo fue llevado a España por sus discípulos. En el año 813, durante el reinado de Alfonso II el Casto, el obispo Teodomiro descubrió un **sepulcro** donde se suponía que estaban los restos del **apóstol**. Alrededor de este **sepulcro** se construyó la ciudad de Santiago, que creció y fue rica gracias a las peregrinaciones. **Santiago** es el patrón de España y su fiesta se celebra el 25 de julio.

39 **reverencia** *f.:* inclinación del cuerpo que se hace en señal de atención y respeto.

40 **temblaba** (*inf.:* **temblar**): se agitaba, se movía sin querer, aquí, por sentir una emoción fuerte.

41 **aprobó** (*inf.:* **aprobar**): superó un examen o todos los exámenes de un **curso** (ver nota 3).

42 **ría** *f.:* parte del mar que entra en la desembocadura de un río.

43 **vacas** *f.:* hembras del toro.

44 **gallinas** *f.:* aves domésticas que se crían para aprovechar sus huevos y su carne.

vacas

gallinas

45 **abrazándolo** (*inf.:* **abrazar**): rodeándolo con sus brazos para expresar cariño o afecto.

46 **romerías** *f.:* fiestas populares que con meriendas, bailes, etc., se celebran en el campo que está al lado de una iglesia.

47 **entierro** *m.:* ceremonia en la que se pone bajo tierra el cuerpo de una persona muerta.

monja

48 **alejarse:** separarse, irse lejos.

49 **convento** *m.:* casa donde viven en comunidad los hombres o mujeres que pertenecen a una orden religiosa.

50 **monja** *f.:* mujer que pertenece a una orden religiosa y vive en un **convento** (ver nota 49).

51 **toser:** echar el aire de forma violenta y ruidosa.

52 **está constipado** (*inf.:* **estar constipado**): tiene una enfermedad leve de garganta, nariz y pecho debida al frío o a los cambios rápidos de temperatura.